IÇAMI TIBA

FAMÍLIA de ALTA PERFORMANCE

CONCEITOS CONTEMPORÂNEOS NA EDUCAÇÃO

INTEGRARE EDITORA

Homenagens

O lançamento deste livro é comemorativo dos meus 40 anos de carreira profissional pela Faculdade de Medicina da Universidade São Paulo.

Minha vida de aluno de Medicina foi muito boa, de estudos e de farra. Sempre homenageei meus professores, a quem sou muitíssimo grato. Neste livro, homenageio meus colegas de turma, aos vivos e falecidos e suas respectivas famílias. Meu gosto seria homenagear cada um de nós, pois todos tivemos destaques, muitas vezes heroicos, nas especialidades escolhidas. Somos tão unidos que fomos todos suspensos da nossa formatura de gala para não dedurar alguns colegas que aprontaram além dos limites. Até hoje mantemos nossos encontros quase bianuais. Somos uma família de médicos, na qual cada um criou a sua Alta Performance.

Em 1970, um colega da turma foi pelo centrão do Brasil atrás de um lugar que precisasse de pediatra. De Cuiabá, saiu de ônibus e dois dias depois chegou a Rondonópolis, com pouco mais de dez mil habitantes, longe de tudo e de todos. Lá cuidou de um prematuro com 1100 g, dentro de uma caixa de sapatos, já que sua mãe sumira, pensando que o filho havia morrido. Esse pediatra o fez viver, criou-o por um ano no calor de tijolos aquecidos, até que sua mãe fosse localizada. Dr. Perrone, como é conhecido, instalou-se lá onde se encontra até hoje, no seu sagrado ofício médico. É ele que representa a nossa força, a de querer levar o nosso melhor para ajudar as pessoas por todo o Brasil.

Minhas homenagens a todos nós:

Alberto da Silva Jr, Alberto Domingos Filho, Alberto Mesquita Filho, Alberto Pellegrini Filho, Alexandre C. Kiss, Álvaro Duarte Cardoso da Silva, Álvaro Lucas Cerávolo, Amilton A. S. Menezes, Antônio Fujii, Antonio K. Eto, Antônio R. de Cillo, Aya Yabuta Silveira, Benedito Silveira Filho, Benjamim J. Marchi Posso, Benjamin Maierovitch, Carlos A. Pereira, Carlos A. Rodrigues Alves, Carlos Victorio Feriancic, Clara Adda, Claudionor Conz, Clemente Young Picchioni, Danilo Bernardinello, Darli Antônio Soares, Edison Salione, Edson R. Rodrigues Costa, Eduardo Partamian, Elizabeth Milan, Eurico A. Magosso, Fábio A. Hermann, Fausto Carneiro, Fausto H. Hironaka, Francisco B. Tancredi, Francisco Greco, Francisco J. C. Luccas, Francisco R. Cisneiros, Georgino Nissan, Gladston O. Machado, Ivan A. Millan, Ivan Cardoso F. Barbosa, Jaime César C. Lima, João Batista G. Bezerra, João Gilberto Carazzato, João Modesto Jr, João Radvany, Jorge Kawamura, Jorge Kawano, José Calos B. de Carvalho, José Gunji, José Mauro de Benedicto, José Rodolfo Pasqualim, Julio César S. Marino, Julio Litvoc, Juscelino M. de Almeida, Katalin Rosa K. Arbocz, Laiar C. Rodrigues, Lincoln P. Vallada, Luiz A. Manreza, Luiz Carlos Martins, Luiz Fernando de M. M. de Barros, Luiz Giovani, Luiz Gonzaga S. Rebouças, Luiz Karpovas, Magda M. Castelo Anraku, Marcelo de P. Eduardo, Marco Antônio A. Pisani, Mario Luiz T. Perrone, Mário Mekler, Maximiano T. Vila Albers, Mayumi Ito, Matsuru Takegima, Orlando Camanho Costa Filho, Osmar de S. Araujo, Oswaldo A. Miyaki, Paulo de A. Leme, Paulo Eduardo de A. Moura, Paulo Vicente Arnaez, Pedro Vargas, Petter U. Feig, Primo A. Brandmiller, Renato T. Yamada, Ricardo E. Yamin, Roberto M. Faria, Roberto Vilardo, Rosa M. Busana, Rubens F. de Vasconcelos, Rubens H. Bergel, Sakukiti Uehara, Salomão Goldman, Samuel Hayashi, Santo Cosenza, Sergio Mies, Sérgio Natacc, Tadao Otsuka, Tadashi Suzuli, Tadashi I. Nishio, Takaaki Hosoume, Tamotu Hirata, Theofilo dos S. Reaes, Tsutomo Okubo, Valdir Pricoli, Venceslau Balizardo, Walter G. Pinheiro, Walter M. de Figueiredo e Yoshio Anraku.

Pudemos melhorar a nossa qualidade de vida, com muito mais atividades conjuntas, encontros memoráveis, empreitadas grupais, tudo sendo festivamente comemorado, quando Natércia e eu passamos a fazer parte deste grupo de amigos palestrantes e escritores, a quem rendo homenagens nos meus 40 anos de atividade profissional:

Carlos Alberto Júlio & Marisa; Cesar Romão & Thais; César Souza & Cristina; Clóvis Tavares & Núria; Daniel Godri & Terezinha; Dulce Magalhães & Egídio; Eugenio Mussak & Luciana; J. R. Gretz & Bethy; Leila Navarro; Luiz Almeida Marins Filho & Ana Cristina; Marco Aurélio Ferreira Vianna & Adila; Max Gehringer & Marta; Reinaldo Polito & Marlene; Waldez Ludwig & Márcia.

Içami Tiba

Sumário

Mensagem do Instituto Ayrton Senna

A ALTA PERFORMANCE EM TODOS OS NÍVEIS

Quando fui convidada para escrever uma mensagem para esta obra de Içami Tiba, *Família de Alta Performance*, pensei o que diria e veio a inspiração: meu irmão, Ayrton Senna. Indiscutivelmente ele foi um piloto de *Alta Performance*. Sabia fazer o melhor, muitas vezes com quase nada. Exemplo disso é a corrida que ganhou "no braço", quando seu carro tinha perdido quase todas as marchas e, mesmo assim, foi à bandeirada final. Vi Ayrton no pódio, abatido, cansado. Não conseguia erguer o troféu direito. Mas ele tinha vencido e feito o que, para muitos, seria impossível.

Numa família, acredito que seja da mesma forma. Ninguém nasce sabendo como ser pai ou mãe. E isso é aprendizado para toda a vida. Porque se você tem mais de um filho, no segundo vai reaprender – porque cada criança é de um jeito, exige outros e novos olhares, que nem sempre são os mesmos aplicados anteriormente. Ou seja, cada corrida é uma estratégia, como diria meu irmão.

No caso desta obra, que trata também de famílias com Filho Único, a questão é mais especial. Afinal, o pai e a mãe, nesse caso, são pais apenas uma vez. Não têm outros parâmetros. Então, como não mimar? Como não ser muito duro? Como dar sem ceder os limites? Como limitar sem cortar oportunidades? Tais questões estarão sempre presentes.

Ter *Alta Performance* como pais é, para mim, estarmos abertos ao novo, a ouvir, acolher, a ter compaixão e ternura, a entender processos, a errar e não nos envergonharmos disso, mas saber corrigir o possível. É darmos o melhor de nós para realizar a felicidade do outro, nosso bem maior, nosso filho. Isso para que ele possa vencer suas corridas pessoais, mesmo com os obstáculos que o destino acaba impondo. É ajudá-lo a ter "braço" nas situações onde nada mais resta a não ser acreditar e ter fé de que é possível.

É isso que procuramos realizar nos programas educacionais que criamos e implementamos em todo o país e que garantem educação de qualidade a crianças e jovens. Mostrar que eles são campeões, capazes de aprender e de seguir em frente com sucesso na vida – porque, como Ayrton, têm determinação, motivação e superação. Estes são os combustíveis da *Alta Performance*, seja como piloto, como pai, como mãe ou como filho.

Aproveito a oportunidade para agradecer ao autor e à **Integrare Editora** por, mais uma vez, doar parte das vendas desta obra ao trabalho do Instituto. Dessa forma, daremos ainda mais condições para que esses pilotos de todo os dias sejam bem-sucedidos e alcancem *Alta Performance* em todos os níveis da vida.

VIVIANE SENNA
Presidente do Instituto Ayrton Senna

Qual a pessoa que não quer ver sua família feliz?

E QUAL O HOMEM DE NEGÓCIOS QUE NÃO ANSEIA POR UM AMBIENTE CORPORATIVO DE SUCESSO? O êxito está diretamente ligado ao desenvolvimento, ao bom desempenho, à Alta Performance, ao reconhecimento público e pessoal.

É, pois, com maestria que Içami Tiba fala, neste livro, *Família de Alta Performance,* sobre a importância de se absorverem, dentro de casa, valores que são fundamentais para qualquer ambiente de negócios, como ética, disciplina, humildade, honestidade e gratidão.

O livro prima pela busca constante de melhorias, em nome das quais a família funciona como se fosse um time, e cada um tem seus deveres e direitos. No entanto, para que esse time funcione bem, todos devem conhecer as regras e acompanhar o andamento do jogo.

Há uma célebre frase que cabe aqui perfeitamente: "*Quem se achar sabedor de tudo e parar de aprender, amanhã será ultrapassado por quem continuou aprendendo*".

JOÃO DORIA JR.
Presidente
Doria Associados
www.doriassociados.com.br

Pai, o que é?

Uma criança chega a seu pai, encosta-se em seu joelho e lhe pergunta:

— Que livro é este que você está lendo, pai?

O pai repousa o livro, olha nos olhos do filho e com carinho responde:

— É um livro chamado ***Família de Alta Performance***!

O filho para, pensa e pergunta:

— E o que é performance, pai?

Com calma, como se tivesse o maior tempo do mundo, o pai responde:

— Performance, filho, é fazer tudo o melhor possível.

O filho ficou curioso e foi soltando:

— Por quê?

O pai larga o livro e comenta:

— Para que não precisemos esconder nadinha do que fazemos...

E continua, agora com a mão direita apoiada no ombrinho do filho em tom de confidência:

— Performance é pensar tudo o que se possa falar!

— Isso é complicado, pai! – respondeu o filho pensativo.

O pai continuou:

— É mais difícil, sim! Mas depois a gente fica mais feliz, pois não precisamos esconder nem nossos pensamentos!

Um sorriso ilumina o rosto do filho que resume:

— Já entendi, pai! Performance é fazer tudo bem-feito e não pensar mal de ninguém!

... E saiu correndo para brincar depois deste *pit-stop*.

Por que escrever sobre Performance?

PASSO A PASSO, O MUNDO TECNOLÓGICO E O DO CONHECIMENTO EVOLUÍRAM MUITO, EM PROPORÇÕES NUNCA ANTES IMAGINADAS. Hoje o desconhecimento deixou de ser um limitador e passou a ser um desafio. Assim, sofrer por falta de conhecimentos, não deve mais ser tolerado. A civilização é um mundo pensado, criado e desenvolvido na Terra de acordo com as necessidades de sobrevivência e de bem-viver para não ficarmos à mercê da natureza, como outros seres vivos.

A cada invenção para melhorar a vida, criamos também problemas para os quais temos que buscar novas soluções. Hoje vivemos uma violenta crise que abalou o mundo financeiro porque atingiu praticamente todos os habitantes da Terra, cada um de uma maneira. Esta crise veio de falhas humanas. Então, erros de uns atingem outros, assim como descobertas aqui beneficiam pessoas acolá.

Mas existe uma revolução silenciosa que vem atravessando gerações. Antes que assuma proporções irreversíveis, merece nossa atenção: os pais não estão conseguindo educar seus filhos. Filhos crescem com cuidados materiais, escolas, mas sem equivalentes cuidados para a formação de valores pessoais, relacionais, profissionais e sociais. É um crescimento natural, conforme suas vontades e caprichos e não uma educação afinada para formar cidadãos éticos.

Uma mente expandida não retorna mais ao seu tamanho original, porém não podemos mais permitir que ela se acomode à ignorância e ao sofrimento, absorva o egoísmo e os abusos de poder ou se acomode à escassez e sofrimentos; ou ainda, que suporte perdas e prejuízos, desmotive-se diante de obstáculos que julga intransponíveis, torne-se indiferente à desonestidade e ao não uso da ética, anestesie-se vendo exclusões e diferenças sociais, torne-se passiva às transgressões e injustiças, resigne-se à não realização dos seus projetos e sonhos – quer dizer, desacredite das possibilidades de um futuro melhor.

Para melhorarmos a vida no planeta é preciso que cada pessoa comece uma mudança de atitude dentro de si mesma, fazendo o melhor possível para conseguir ser e ter uma Família de Alta Performance.

A família é a única organização grupal que vingou, desde tempos imemoriais até hoje, e são os laços familiares que perpetuam o ser humano e ajudam-no a ter uma sobrevivência digna e de boa qualidade.

O QUE É PERFORMANCE?

Segundo o dicionário *Houaiss* da Língua Portuguesa, performance vem do verbo inglês *to perform* (alcançar, executar), que vem do francês antigo *parfourmer* (cumprir, acabar, concluir) e do francês *former*, que significa formar, dar forma, criar. Vem também do latim *formare* (formar, dar forma). Esse mesmo dicionário contempla a palavra performance em português, com o significado de atuação, desempenho, interpretação notável de um artista perante uma plateia; conjunto de índices auferidos experimentalmente que define o alcance de algo. Na gramática gerativa: desempenho.

Ora, desempenho no *Houaiss* significa livrar-se do penhor; resgatar; cumprimento de obrigação ou promessa; execução de uma tarefa; maneira de representar, interpretar nas áreas artísticas; ação e comportamento conforme sua eficiência e rendimento etc. Vem também como antônimo ao empenho.

Empenhar, que vem do latim tardio, *impingnare*, de *pignus*, significa penhor; é conceder algo material em garantia de cumprimento futuro de um compromisso financeiro, penhorar, hipotecar; fazer dívidas, dando algo em penhor; comprometer-se; interesse, afinco, obstinação etc. Vem também como antônimo de desempenho. Sobre desempenho, Max Gehringer escreve na sua coluna da Revista *Época*:

> *Quando um funcionário é contratado, ele dá ao empregador a garantia pessoal de que seu trabalho será sempre bem-feito. Ao cumprir o que prometeu, o funcionário está se livrando do penhor, ou se 'desempenhando'. Só que aquela garantia inicial nunca termina. Ela é renovada automaticamente, todos os dias, enquanto o contrato de trabalho vigorar.*[1]

Pelo *Cambridge International Dictionary of English*, performance é quão bem uma pessoa ou máquina faz um trabalho ou atividade. Muito usado também como a ação do artista para entreter a sua plateia. Vem do verbo *to perform*, que significa entreter, fazer, agir ou trabalhar.

Não existe uma palavra em português que traduza exatamente o que performance significa em inglês. A língua portuguesa importou esta palavra e a colocou nos nossos dicionários. Eu poderia usar a palavra desempenho no lugar de performance. Mas ela não expressa exatamente a ideia do que eu chamo de performance.

Particularmente, não simpatizo com a palavra desempenho, pois ela começa com o prefixo des-, que é uma negação da palavra a seguir. Entretanto des- pode ser usado para reforço, como em deslavrar, que significa lavrar outra vez. Este é o caso do desempenho.

[1] *Época*, edição 551, 8/12/08. São Paulo: Globo, p. 144.

Eu uso neste livro a palavra performance não só como o desempenho máximo que uma pessoa possa fazer, dando o melhor de si, no maior capricho e empenho, mas também pensando no melhor que podemos fazer, para podermos falar tudo o que nós pensamos.

Quem tem boa performance não precisa esconder suas ações, nem tampouco mentir sobre o que pensa. Performance é agir e pensar da melhor forma que podemos.

AVALIAÇÃO DA PERFORMANCE DA FAMÍLIA

Como medir a performance familiar de uma maneira global perante a multiplicidade de constituições familiares? Existe uma Família de Alta Performance?

Preferi criar um caminho que facilitasse a cada família, independentemente de desenho que lhe é característico, encontrar a sua própria performance. Todos nós, como pessoas, familiares, trabalhadores ou cidadãos podemos melhorar nossa performance. Não pretendo fazer comparações entre as diferentes famílias nem estabelecer qual o nível de performance que se deva atingir. Pretendo instigar e ajudar as famílias a pensarem o melhor que puderem para atingir a sua máxima performance.

A vida é uma evolução progressiva constante. O melhor de hoje com certeza será superado amanhã, assim como já superou o de ontem. Parto de um pressuposto básico de que cada família tem que funcionar como uma equipe, para que sua performance seja excelente.

O que importa, para isso, não é só a avaliação alheia mas também a autoavaliação da própria família. É claro que a sociedade admira e homenageia as Famílias de Alta Performance que se destacam, mas só elas sentem na sua intimidade quais pontos poderiam melhorar e adquirir conhecimentos para superar questões ainda não solucionadas bem como atingir pontos mais altos de satisfação.

O poder e a qualidade de vida sempre estiveram e continuarão presentes na verdadeira intimidade indevassável da família do ser humano. O que pretendo mostrar está muito longe de um campeonato esportivo. Neste, uma equipe tem que vencer as outras para se tornar campeã. Uma família, porém, mesmo já estando satisfeita e vencedora, pode melhorar ainda mais a sua performance desde que:

- **procure a superação das suas próprias dificuldades;**
- **independentemente de qualquer explicação, procure a correção do erro;**
- **assimile as mudanças que sejam progressivas;**
- **pratique a cidadania familiar para que todos sejam cidadãos éticos;**
- **todos se unam para que a equipe melhore sempre;**
- **exija do elemento ajudado a correção dos erros e seus resultados;**
- **não coloque uma vitória como o ápice de uma conquista;**
- **não sinta uma derrota como eterna;**
- **os deveres sejam cumpridos e os méritos reconhecidos;**
- **o melhor para a equipe seja o melhor para o bairro e para o planeta.**

A Alta Performance poderia se tornar um hábito familiar, como é falar a língua nativa. Podemos aprender ouvindo como uma criança, estudando como se estivéssemos na escola, usando a língua no cotidiano sem nenhum esforço pessoal e aprimorando-a sempre pela prática. O mesmo ocorre com a performance.

É por tudo isso que Família de Alta Performance não deve ter seguidores de nenhum modelo emblemático, e sim praticantes da excelência no seu agir e pensar.

Eu acredito piamente que durante a leitura deste livro você já vai se propor algumas mudanças na vida, e, ao finalizar, sua vida e de sua família estarão a caminho dessa Alta Performance.

PARTE I

FAMÍLIA DE ALTA PERFORMANCE COM FILHO ÚNICO

Não há pais que não tenham tido um Filho Único.

Mesmo os que têm mais de um filho, o primogênito foi único até a vinda do segundo.

Ressalto que por maior que seja a irmandade, cada filho é único.

Filhos Únicos no Brasil

CADA VEZ MAIS FAMÍLIAS ESTÃO TENDO MENOS FILHOS QUE AS GERAÇÕES ANTERIORES. No Brasil, a quantidade de filhos que nasce por família entre 3 e 5 salários mínimos de renda, no ano 2000, era 1,3 filhos como média nacional. Acima de cinco salários, a média era de 1,1 filhos. No Rio Grande do Sul reside a menor taxa (0,8 filho por casal)[2]. Ou seja, há muitas famílias com um só filho. Este é, pois, o verdadeiro caso de Filho Único. Eis alguns dados sobre o assunto:

> *Nos últimos vinte e cinco anos, o número de filhos únicos mais do que duplicou. Mais de 20% das famílias de hoje são de filhos únicos."*[3]

> *Nos anos 1990, uma em cada dez mães tinha apenas um filho. Hoje, o índice pulou para uma em cada três.*[4]

Como se vê, esse é um fenômeno mundial. Na China, a lei permite que só haja um filho, ou seja, é ilegal ter dois filhos. Como o sistema é patriarcal, as crianças do sexo feminino foram rejeitadas, abandonadas ou abortadas. E a China paga hoje um

[2] http://veja.abril.com.br/180204/p_092.html (Acesso em fev. 09).
[3] http://vmbooks&action=saibamais&codigo=800453 (Acesso em em fev. 09).
[4] http://revistacrescer.globo.com/Revista/Crescer/0.

alto preço por ter poucas mulheres e muitos homens. Diminuiu o número de casamentos e há muitos homens solteiros. O que diminui mais ainda o número de filhos.

> *O número de filhos únicos na China superou os 100 milhões desde a introdução, no final dos anos 1970, da política que só permite um nascimento por família, informou hoje o jornal* China Daily.[5]

IRMÃOS PODEM SER FILHOS ÚNICOS

Filhos Únicos não são exclusivamente os únicos filhos, resultantes de mães de parto único. Há pais que lidam com seus filhos como se fossem únicos, como se não tivessem irmãos. Um filho **caçula temporão** entra na categoria de Filho Único quando os mais velhos formam um grupo funcional que não o inclui, ou os pais o tratam de maneira muito diferenciada dos outros filhos.

Casais com filhos que se separam, e depois se casam com outros descasados com filhos, podem ter um filho que funcione como único, mesmo não sendo. Casais que tenham um filho caçula já bem independente (geralmente com mais de 5 anos, que não dá mais trabalho para as principais funções do dia a dia, como tomar banho, comer, dormir, brincar), quando recebem um novo nenê, podem fazer deste um Filho Único.

Se a irmã mais velha é menina, ela até pode "adotar" o Filho Único, isto é, em vez de ficar com ciúme e competir com o recém-nascido, ajuda os pais a cuidarem dele. É a *irmãe*. Se ninguém for prejudicado com essa nova função, esta família já é uma Família de Alta Performance.

[5] http://ultimosegundo.ig.com.br/mundo/2008/07/08/china_supera_100_milhoes_de_filhos_unicos_desde_inicio_do_controle_natal_1425664.html

No caso de ser um menino o filho imediatamente mais velho, ele pode não competir com o caçula, mas também pode não "adotá-lo". Satisfaz sua curiosidade com o irmão, e sai correndo para fazer as atividades que mais lhe interessam. Portanto, não deixará de brigar com o caçula quando este o incomodar. Como este é um comportamento esperado de um menino, portanto, a família é também de Alta Performance.

IRMÃOS BRIGAM PORQUE SÃO PARES

Essas briguinhas entre os imediatamente mais velhos e os caçulas podem até ser benéficas, desde que não partam eles para a violência e não enfiem o dedo nos olhinhos dos menores nem os estrangulem e, muito menos, os coloquem a nocaute.

As **brigas eliminam** a condição de Filho Único e levam-no à condição de irmão, que são unidos como unha e carne..., mas unha de um na carne do outro. Assim, ter irmãos é essencial para desenvolver vida social. É pertencer ao subgrupo familiar dos filhos, pares entre si.

Eles brigam entre si porque sentem que podem brigar em igualdade de condições. O menor fica do tamanho do maior quando grita e um adulto vem socorrê-lo sempre dando bronca no maior: "Por que você não bate em alguém do seu tamanho?". Os pais muitas vezes não percebem que a briga pode ter começado pelo menor agredindo e/ou pegando as suas coisas. Isso é bastante comum com filhos caçulas tratados como Filhos Únicos pela diferença de idade, de sexo, ou pelo fato de os pais não planejarem mais ter filhos.

Quando todos os outros irmãos saem de casa para morar fora, e um fica sozinho com os pais em casa, este um pode querer funcionar como Filho Único se for muito pequeno; ou até mesmo seus pais podem lidar com ele como se fosse único. Mas isso é, a rigor, quase impossível, pois, para os irmãos que ficam, parece que os ausentes são mais valorizados que eles, ou seja existem irmãos! Essa família é Família sem Alta Performance, pois esses sentimentos impedem a formação da psicologia de Filho Único.

FILHO ÚNICO E NETO ÚNICO

Filho Único de mãe sozinha constrói uma possessão mútua entre filho e mãe única, que pode trazer futuros sofrimentos caso eles se fechem contra o mundo e formem um vínculo de autoproteção tão forte que passa a funcionar como prisão, pois ali não cabem outras pessoas. Baixa performance para este relacionamento.

Se esta mãe for casada, o marido acaba quase expulso do relacionamento entre mãe e Filho Único, o que o torna solitário na família. Essas são famílias que constroem muros relacionais, que isolam uns aos outros: o filho, por ser único; a mãe, porque se aprisiona no relacionamento com o Filho Único, e o pai que acaba sozinho. Performance desastrosa.

Quando o Filho Único é o Neto Único de avós de ambos os lados, tudo se multiplica, tanto os privilégios e regalias quanto as sobrecargas e desvantagens. Se for **neto único** somente de uma das partes, materna ou paterna, também não será nada fácil a vida dele. Esta supervalorização do neto diminui a performance familiar.

Há também as tias e tios sem filhos, que adotam sobrinhos como filhos. Quando estes adotados já são Filhos Únicos, então, tudo se complica mais ainda. *É muita areia para um só caminhãozinho*, pois eles carregam sozinhos todos os sonhos, expectativas e frustrações dos seus pais e dos outros adultos adotivos. Excessos prejudicam muito a performance familiar.

Não é raro os pais serem também Filhos Únicos, o que significa que o Filho Único tem avós únicos. Um Filho Único que é também neto único, dificilmente consegue escapar da Síndrome do Filho Único. Deve haver muito cuidado para manter uma boa performance.

SÍNDROME DO FILHO ÚNICO

Há algumas décadas, ser Filho Único já foi considerado uma anomalia. O americano G. Stanley Hall (1844-1924), um dos pais da Psicologia Infantil, chegou a afirmar que "ser Filho Único é uma doença"[6]. A Síndrome de Filho Único define-se como o conjunto dos sinais e sofrimentos existentes nas pessoas envolvidas nos relacionamentos mãe-Filho Único, pai-Filho Único, pais-Filho Único e/ou seus substitutos.

Na Medicina, a palavra síndrome é usada em doenças, mas aqui eu a uso para distúrbios do relacionamento. Esta síndrome não é definitiva e pode melhorar muito como consequência da melhora dos relacionamentos, ou também do próprio amadurecimento saudável.

Quanto menor for a idade do Filho Único, mais os sinais são evidentes. Com o desenvolvimento e amadurecimento do filho tais sofrimentos tendem a minimizar. Mas se permanecerem, podem trazer sérias consequências, inclusive complicações e sofrimentos nos seus futuros relacionamentos. O mais natural é que o Filho Único vá se tornando mais independente da mãe e os problemas de relacionamento amenizem. Caso contrário, o filho acaba rompendo o relacionamento prejudicial, principalmente quando estabelece um novo relacionamento afetivo.

[6] http://revistadasemana.abril.com.br/edições/16/por

Com ajuda externa, um Filho Único pode se libertar desta teia tecida pela superproteção dos pais. Porém, o que geralmente acontece é a perpetuação dessa síndrome, não mais com os pais, mas com pessoas do sexo oposto. E sempre existe uma pessoa complementar, que ingressa no lugar da mãe, mesmo sendo a esposa. E, quando um Filho Único encontra uma pessoa complementar à sua síndrome, a performance familiar já começa prejudicada, pois o roteiro relacional Filho Único-mãe está pronto e não dá lugar ao relacionamento homem-mulher.

QUEM É O RESPONSÁVEL PELA SÍNDROME DE FILHO ÚNICO?

Os maiores responsáveis por esta síndrome são os **próprios pais** do Filho Único, pois ele nasceu como nasceria qualquer outro filho. A síndrome é uma consequência da maneira pela qual este é criado, protegido, perdoado pelos seus próprios pais ou substitutos. Dessa síndrome sofrem os pais e o Filho Único juntos. Haverá baixa performance onde quer que ela exista.

É muito natural os pais se concentrarem em atender mais a um filho que a outro por diversos motivos, como doenças físicas, transtornos psicológicos, péssimo rendimento escolar ou afetivo, crises etc. E é comum nessas condições os pais apelarem também para a ajuda dos outros filhos. Porém, quando se é mãe e pai únicos, todas as energias positivas e negativas que seriam destinadas a vários filhos passam a ser direcionadas para um só filho. É como se colocassem todos os ovos em um único cesto. O cesto torna-se valioso demais.

Esse excesso é o grande diferencial responsável para o surgimento da Síndrome do Filho Único. Os pais de Filhos Únicos dão carinhos e cuidados ao Filho Único, mesmo que este não precise. Esse excesso mais prejudica que ajuda.

PSICOLOGIA DO FILHO ÚNICO

O Filho Único pode ter a propensão a ser frágil, caprichoso, tímido, mimado, tirânico com os seus circundantes e a ter dificuldades de adaptação com seus companheiros e de integração num grupo, reagindo frequentemente com descontentamento ou rebeldia ao que lhe escapa do controle. Quando ganha alguma fama, apelido ou denominação por um tipo de comportamento, o Filho Único pode aceitá-lo e perpetuá-lo. Se for chamado, por exemplo, de mimado, ele pode ficar mais mimado ainda. É como se ele encontrasse uma espécie de identidade na fórmula com que é tratado, já que não tem referências sobre si mesmo através daqueles com quem convive; portanto, baixa performance é dada a ele.

Uma das características fundamentais da Psicologia do Filho Único é a ausência de relacionamento com seus pares. Ele acaba transformando seus pais, que são adultos, em pessoas iguais a ele. E como ele tem apenas adultos como referência, adquire um linguajar adulto com costumes, diversões, vestimentas, interesses, cultura e ideias acima da sua real idade. Ou seja, acaba se tornando mais parecido com os seus pais do que crianças de sua idade, que são seus pares.

Tudo isso faz com que o Filho Único tenha um nível intelectual acima dos pares, tornando-o mais "**adultizado**", portanto suficientemente diferente para não ser aceito ou até mesmo rejeitado pelos seus colegas de atividade. Sua performance, que deveria ser boa, acaba caindo.

FILHO ÚNICO NA ADOLESCÊNCIA

Por sentir-se *adultizado* e/ou *infantilizado* entre os seus pares, o Filho Único tende a ficar isolado e inseguro longe dos seus pais.

É na adolescência (um segundo parto, um nascer da família para entrar na sociedade) que as dificuldades e problemas podem se alterar, além de mudarem de qualidade.

Tudo fica mais complicado se o Filho Único continuar com a sua maneira de ser e de ter, mas tudo pode melhorar se ele conseguir ver na adolescência as possibilidades da **libertação dessa síndrome** para buscar identidade própria. Tão própria quanto aquela que todos os adolescentes buscam ao se enturmar: querer ser original em casa para ser igual a seus amigos.

As passagens fisiológicas pelas diversas etapas do desenvolvimento biopsicossocial na adolescência[7] (confusão pubertária, onipotência pubertária, estirão, menarca nas garotas e mudança de voz nos garotos e onipotência juvenil) podem ser mais complicadas se o Filho Único estiver sozinho, e muito facilitada se estiver pelo menos com um amigo, aquele *melhor amigo*.

Alguns Filhos Únicos continuam ligados e submissos (ou tiranos) somente com seus pais, e isso os torna muito solitários e infantis em casa, mas estes não escapam da adolescência inexorável. Esta aparece sob forma de verdadeiros arroubos inesperados, de explosões de ira e revolta contra os pais, como demonstrarei nos exemplos a seguir.

VANTAGENS E DESVANTAGENS DE SER FILHO ÚNICO

Não há divisão nítida entre as vantagens e as desvantagens, pois o exagero, qualquer que seja, pode ser desvantajoso. Digo "pode ser", pois há alguns exageros que por si mesmo não são desvantajosos, como nos estudos, por exemplo. Mas ser destacado como o melhor aluno da classe ou da escola pode provocar

[7] Veja no livro *Adolescentes*: Quem Ama, Educa!, capítulo 2; Adolescência: resumo do desenvolvimento biopsicossocial, p. 42.

ira, inveja, admiração, desdém e mais uma infinidade de sentimentos e sensações que acabam prejudicando o relacionamento do jovem.

INTERNET

É sabido o quanto os Filhos Únicos usam a internet em busca de relacionamentos virtuais. Já atendi pais que foram surpreendidos por seu único filho, de 15 anos de idade, que lhes pedia que assinassem alguns documentos... porque ele havia já programado uma viagem para uma vila no oeste dos Estados Unidos para ficar na casa de um amigo virtual.

Um outro casal foi surpreendido por um jovem estranho dentro do quarto do seu único filho de 12 anos, que o conhecera pela internet. Esses pais entraram em pânico, pois o seu filho, que nem amigos tinha, havia fornecido o endereço e seus horários para um estranho, um adulto jovem, de quem se sentiu amigo o suficiente para convidá-lo para sua casa. Este convidado poderia ser não um *amigo*, mas **um sequestrador**. Ambos tiveram arroubos juvenis com comportamentos infantis. Apesar de ser boa a iniciativa de querer relacionar-se, o Filho Único, ao desconsiderar o perigo, baixou a performance deles.

Convivendo em casa com adultos que lidam com computadores, seria até natural que o Filho Único tivesse o seu próprio, com menos idade que seus coleguinhas da escola. Ter um computador para seu próprio uso é bem diferente de ter que dividi-lo com os irmãos.

Um dos antigos e grandes problemas do Filho Único era a solidão por não ter com quem brincar, jogar, brigar. Atualmente, esse tempo é gasto com a internet para conversar, trocar ideias, jogar, marcar programas e outras atividades. É a comunidade de seus amigos virtuais. Temos uma vantagem do avanço tecnológico, mas se a família não souber usar, pode ser desastroso.

DROGAS E SEXO

Uma pesquisa feita por Vallejo Nájera[8] aponta que Filhos Únicos usam menos drogas do que os filhos com irmãos, mas começam mais cedo a atividade sexual. E é da minha experiência clínica que, quando um Filho Único começa a usar drogas, fica mais propenso ao abuso delas que filhos com irmãos. Uma das hipóteses é que ele passe a usar a droga, mais precocemente que os outros porque está sozinho. Muitos dos Filhos Únicos nem percebem que chegaram ao vício, pois usam as drogas dentro do **seu próprio quarto**, onde se isola dos seus pais.[9]

Atendi um Filho Único, de 15 anos, com mãe descasada, que começou a usar maconha e rapidamente passou para doses maiores e mais frequentes. Não havia tempo para abaixar o rendimento escolar, pois era excelente aluno, mas a atitude foi facilmente percebida pelos colegas que comentaram com seus respectivos pais. Um deles entrou em contato com a mãe, que ficou extremamente abalada e surpresa, pois não havia percebido nenhuma alteração comportamental no seu Filho Único, sem perceber o que estava tão perto.

Os Filhos Únicos são muito incentivados a ter amigos e amigas. E se houver um(a) namorado(a), os pais rapidamente o(a) incluem nos programas de fim de semana na casa de campo ou na praia, viagens, festas.

[8] J. A.Vallejo Nájera: www.portaldafamilia.org/artigos/artigo188.shtml (Acesso em 20/3/09).
[9] Veja no livro *Juventude & Drogas*: Anjos Caídos, capítulo 7: Maconha. Onde? Quando? Para quê? p. 155.

Já se sabe, namorar e transar é só começar. Eles geralmente têm seu próprio quarto, assim ocorre maior privacidade, seja para drogas ou sexo. O que poderia ser vantajoso, torna-se desvantajoso com o mau uso. Baixa performance a deles, portanto.

FILHO ÚNICO RENDE BEM NA ESCOLA

Segundo uma pesquisa feita com 360 estudantes da terceira série do ensino médio, entre 15 e 16 anos de idade, numa escola de Porto Alegre,[10] notas entre 9,0 e 10,0 eram obtidas por 17,2% de Filhos Únicos, 5,6% de primogênitos e 2,9% entre os não primogênitos.

Um dos grandes motivos do bom rendimento escolar dos Filhos Únicos é que os **pais acompanham** de perto a sua vida escolar. Assim detectam logo no início qualquer queda de rendimento e tomam as medidas necessárias para que o Filho Único possa manter a produção de que é capaz.

Sabe-se que o nível social, cultural e financeiro dos pais alimenta a busca do conhecimento – grande diferencial em qualquer atividade exercida por qualquer pessoa. Um filho que nasce nessa família traz do berço uma vantagem que o distingue dos demais. Entretanto, o rendimento escolar do Filho Único, venha ou não dessa família, pode decrescer por causa de dificuldades psicológicas de relacionamento e adaptação com colegas e professores. Essas dificuldades aparecem em casa até mesmo antes de os Filhos Únicos frequentarem escolas.

[10] www.saudeemmovimento.com.br/reportagem/noticia (Acesso em 20/2/09).

INADEQUAÇÕES RELACIONAIS COM FILHO ÚNICO

Existe uma série de dificuldades pessoais que interferem no relacionamento com outras pessoas. O relacionamento é uma espécie de *terceira entidade* entre duas pessoas.

Um homem é uma pessoa, e uma mulher, outra. Quando juntos, podem formar vários tipos diferentes de relacionamentos: conjugal, profissional, como colegas, como amigos etc. Cada relacionamento adquire características que permitem, ou não, sua continuidade.

Para essa terceira entidade ter sucesso é necessário o preenchimento de vários requisitos, alguns essenciais, outros, nem tanto. Alguns dos requisitos essenciais: prazer, confiança, companheirismo, objetivos, estilos, critério de valores, ética, ideologia de vida comum etc.

Vale dizer que inadequações relacionais são situações de relacionamento ou características pessoais que trazem mais sofrimentos que satisfações. Incluo aqui algo bastante comum: o relacionamento satisfaz a um, mas deixa o outro descontente.

HIPERSOLICITUDE DOS PAIS

A hipersolicitude dos pais ou substitutos para o Filho Único é prejudicial à formação da sua personalidade. Para exemplificar, vou comparar o carinho (abstrato) com o leite (concreto) que o Filho Único tem que mamar. Haveria quatro peitos abstratos, dois da mãe e dois do pai. Se o Filho Único for também o único neto, seriam mais dois casais de avós, portanto, haveria doze peitos abstratos a serem oferecidos a ele.

O Filho Único teria que escolher um entre doze mamilos abstratos para sugar, porque o nenê consegue mamar somente em um mamilo (concreto) de cada vez. Seriam então doze mãos a lhe fazer carinho e a atender suas vontades. São mãos demais dispostas a fazer tudo pelo bebê. Por mais que um bebê possa receber mais que um carinho ou brinquedo de cada vez, são carinhos e brinquedos demais, que ele não tem condições de absorver equilibradamente.

O Filho Único pode se acostumar a tamanha solicitude e concluir que ele **pode ter tudo** o que quiser. É criar um costume, ou vício que dificilmente vai encontrar a saciedade fora de casa. O sofrimento não é menor quanto aos pais, pois eles depositam em um único filho tudo de bom e de ruim que poderia ser distribuído entre muitos filhos. Quanto maior for a vontade de amamentar o Filho Único tanto maior será a competição entre os mamilos.

COMPETIÇÃO DE ADULTOS PARA ATENDER O FILHO ÚNICO

Um adulto "único" pode ficar melindrado por não ser escolhido pelo Filho Único. Qual é o "peito" que o Filho Único mais suga? Como ficam os outros peitos, jorrando charmosamente seu leite? Ninguém vai querer perder a mínima oportunidade de saciar os desejos do Filho Único.

O fato é que todos ignoram que carinho também têm limites. Assim é que se chega à "obesidade" do carinho, dos brinquedos, dos agrados... Quanto maior a obesidade, tanto mais queremos aproveitar qualquer oportunidade de comer, mesmo sem fome nem vontade de comer. São Filhos Únicos aqueles que não aguentam esperar o horário de mamar, de ter o brinquedo ou de serem atendidos. Querem tudo na hora, e não aprendem a suportar a espera, a frustração, a respeitar a impossibilidade dos outros. Quando há qualquer mínimo desejo percebido, os adultos saem numa **correria e atropelo**, loucos para satisfazê-lo.

Se a mãe ou o pai resolvem impor um limite de horário, ou de quantidade às mamadas, outros adultos ficam à espreita, esperando um descuido dos pais para entrarem, gloriosos, com o "leite abundante de seus peitos gigantes". E o pior é que esses adultos fingem não saber nada das regras impostas. Aqui reina a baixa performance.

EXCLUSIVIDADE

A exclusividade baseada no egoísmo distorce a formação da cidadania. O Filho Único acaba se acostumando a um tratamento tão exclusivo que seus desejos viram lei para seus familiares, muito diferente da vida que ele vai encontrar no mundo.

O egoísmo é uma **consequência maligna** que pode prejudicar os futuros relacionamentos dos Filhos Únicos com outras pessoas. É muito difícil administrar vários Filhos Únicos em uma mesma sala de aula, pois cada um deles se acha digno de ser exclusivo.

Conheci uma professora que tinha nove Filhos Únicos na sala de aula. Ninguém queria sentar atrás de ninguém. Ela, então, colocou as carteiras em círculo. Amenizou a situação da sala, mas lá fora, o mundo não está pronto para amenizar essas inadequações.

O egoísmo se acentua quando há vários egoístas na mesma sala. Quando há um ou outro que cede, há a possibilidade de começar a atender os egoístas e seguir para os que cedem. Depois, inverte-se a ordem: primeiro os que ficaram por último da outra vez, e os primeiros serão os últimos agora. O exclusivo quer ser o primeiro, ser o único, o destacado. Mas o excludente aqui é, geralmente, o excluído pelos seus pares. E isso diminui bastante sua performance pessoal.

FALTA DE PARES

A falta de pares durante o crescimento não dá ao Filho Único as oportunidades que vivem os filhos não únicos. O Filho Único acaba distorcendo a sua autoimagem de criança tornando-se mais "adulto" em roupas, palavras e comportamentos, brincadeiras e passatempos, preferências musicais e de filmes etc.

É com os seus irmãos que os **filhos aprendem** a dividir seus pertences, a compartilhar emoções, a trocar brinquedos, resultando num desenvolvimento saudável do companheirismo. O companheiro lhe dá a sensação de não ser único, de pertencer a um grupo, de sua vida ser mais movimentada, seja com competições, brigas e lutas, com mais sonhos e ideias, com acréscimos individuais vindos dos pares, e de sentir muito mais alegria.

O Filho Único pode não aprender a se relacionar com seus pares num relacionamento horizontal (no mesmo nível) criança-criança e incorpora somente o modelo vertical (níveis diferentes) de adultos-criança, sendo ele o alvo de todas as atenções. É interessante essa contradição: no meio dos adultos, ele é o príncipe alimentando sua autoestima; entre os pares, um excludente-excluído desnutrindo a sua própria autoestima. Como pode este Filho Único ter Alta Performance?

PERDA DA NOÇÃO DE LIMITES

A perda da noção de limites entre o que o Filho Único deve e não deve fazer é muito frequente, pois dele nada é exigido e tudo lhe é dado. Quando um Filho Único quer algum brinquedo, nada precisa fazer porque os adultos em volta competem entre si para dar-lhe. É uma glória para o adulto quando o Filho Único pegar a sua oferta. As competições, porém, podem extrapolar para outras áreas como excesso de carinho, pôr comida na sua boca, amarrar para ele os cadarços do tênis, fazer suas lições de casa etc.

Criar um Filho Único pode ser uma excelente oportunidade para desenvolver um **tirano**, que faz das suas vontades a obrigatoriedade dos adultos, sem este ter dado nada em troca, nem mesmo gratidão. O tirano desconsidera que esteja abusando de outras pessoas e pensa, acreditando ou não, que atendê-lo é obrigação de todos os demais. O Filho Único, vale repetir, usufrui das suas vontades como se fossem direitos, sem ter que arcar com nenhuma responsabilidade.

É impossível conviver saudavelmente com pessoas assim. E quem geralmente aceita pessoas sem limites são submissas, que aceitam ser tiranizadas. Mesmo que consigam alguns bons resultados, o método da tirania baixa-lhe a performance.

FILHOS ÚNICOS SOBRECARREGADOS

A sobrecarga de cuidados e atenção, de expectativas e exigências, de solidão, de brinquedos, de temores pode tornar a vida do Filho Único **insuportável**. Tudo o que for excesso não aproveitado torna-se praga, pois atrapalha e não ajuda. Tanto o exagero quanto a escassez são extremos que prejudicam, por mais que o conteúdo possa ser bom ao organismo. Assim é com a comida e tudo o que chega ao Filho Único. Em quantidades adequadas, o Filho Único poderia aproveitar melhor.

Comida em excesso causa obesidade; em escassez, caquexia. Aprender a comer bem faz parte da educação de todos os filhos, isto é, em quantidade e qualidade adequadas. Pode ser que em se tratando de comida, o Filho Único até esteja bem, afinal tem pais "únicos" que têm cultura e condições financeiras para tanto. Mas há excessos que se cometem com Filhos Únicos e sobre os quais vale a pena refletir:

- **a obesidade é uma praga do comer mal e demais;**
- **o mimo pode ser a praga dos cuidados excessivos;**
- **a autocobrança, a praga das severas exigências dos pais;**
- **a insegurança, das desmedidas expectativas dos adultos;**
- **a timidez, do ter que fazer sempre o certo e adequado;**
- **o medo, dos injustificados temores dos que o cercam etc.**

Com essas atuações da família, não há Alta Performance que resista.

OSCILAÇÕES DE HUMOR

Os Filhos Únicos podem ficar impacientes, pouco tolerantes à frustração, irritáveis, de humor instável com explosões de alegria e mágoas profundas em pouco tempo. São tão frequentes esses sintomas, que parecem naturais – mas não são, pois podem mudar, amadurecer e ficar mais saudáveis. A pessoa que não tiver uma base interna que lhe dê uma **sustentação emocional** fica sujeita às oscilações externas. Um Filho Único está mais vulnerável a essas oscilações porque a ele sempre chegam agrados dos adultos para compensar as frustrações.

Uma parte da autoestima desenvolvida vem de fora para dentro, do amor dos pais ao filho que nasce. Essa é a parte que os adultos podem preencher. Porém, com o desenvolvimento, o ser humano precisa sentir que é capaz de realizar algo, mostrar resultados e avaliar sua competência real. É a sua autoestima que se alimenta das próprias realizações.

Cada ser humano sabe das suas próprias falhas que não compartilha com ninguém. Muito menos um Filho Único. Ocasionalmente ele é atacado por essa frustração da vida, então fica de mau humor. Mas logo surge uma novidade, e ele vibra qual uma criança inocente. Esta destemperança de humor baixa a performance de qualquer pessoa.

SOLIDÃO DO FILHO ÚNICO

A solidão que o Filho Único sente é muito frequente e ela existe porque ele não tem companheiros com quem repartir o tempo que passa em casa. As atividades solitárias ou a presença de adultos não compensam a falta de outras crianças. Por mais que a mãe ou o pai brinquem como crianças, o Filho Único sabe que se trata de um adulto.

O **lúdico compartilhado** – correr, pegar, rolar no chão, chutar uma bola para atingir o outro, apostar, medir, comparar, competir, negociar, trocar segredos, enganar, mentir, convencer, driblar, ficar de mal, fazer birra etc. – é insubstituível, educativo e não pode ser praticado sozinho.

Algumas atividades podem até ser mais movimentadas que outras, mas não há nada como um *feedback* vivo para sinalizar ao filho se está ou não no caminho certo. Receber respostas, críticas, convites para participar de algumas atividades, não ser convocado para participar de algo, simplesmente conversar, trocar ideias são ações que situam o Filho Único no mundo, para além da família.

Essa solidão pode piorar pelo excesso de proteção dos pais, temerosos de que algo de ruim lhe aconteça. Podem até dificultar saídas com amigos, programas da escola etc. Então o Filho Único sente-se preso numa gaiola de ouro. É ele que sente não ter o que precisa, mesmo que seus pais lhe deem tudo. Para a Alta Performance, ouro é bom, mas gaiola, não.

POR QUE FILHO ÚNICO?

Há pais que acabam ficando com um Filho Único pela perda de outros filhos. Outros pais, pelos problemas médicos que os impedem de ter uma segunda gravidez.

Trágicos acidentes de carro, incêndios e enchentes podem acabar com famílias inteiras. Mas quando permanece viva uma criança, ela pode ser adotada por parentes ou amigos. Essa criança órfã acaba recebendo cuidados de Filho Único, quando os adotadores têm filhos com mais idade que ela. Ninguém faz essas escolhas. Advêm, em geral, de uma fatalidade.

Há pais que demonstram claramente sua preferência por um dos filhos, levando-o para a categoria de Filho Único, mesmo que em detrimento dos outros. Apesar de ser trágico este tipo de relacionamento, atendi um rapaz que dizia com bom humor "tenho um irmão que é Filho Único". Geralmente esse tipo de Filho Único fica constrangido quando os pais maltratam seus irmãos.

Cada filho é um ser único, e suas características não podem ser negadas, mas em Famílias de Alta Performance não cabem preferências nem rejeições que causem prejuízos, mal-estar e conflitos.

PAIS ESCOLHEM TER FILHO ÚNICO

Isso ocorre por diversas razões:

- **Depois de terem um filho, os pais perdem a coragem de ter outro por acharem que não suportarão criar dois filhos;**

- **o casal decide ter um filho só para poder lhe dar tudo, sem ter que restringir nada. Outro filho poderia pesar muito no orçamento financeiro familiar. Uma família da classe média gastaria com os estudos de um filho hoje, em 2009, do berçário até a faculdade cerca de R$ 400 mil reais;**
- **a renda do casal, ao superar 5 salários mínimos já favorece o "aparecimento" do Filho Único. E mesmo com renda mais baixa, há vários casais com Filhos Únicos. Sobrevivem como conseguem, com muita economia, gastando o mínimo possível, trabalhando o máximo que podem. São pais espartanos, com Filho Único folgado;**
- **as mulheres com mais de onze anos de estudo decidem sobre o número de filhos que querem ter. Estas têm mais Filhos Únicos que mulheres com menos estudos;**
- **mulheres com mais de 35 anos, já consideradas primigestas idosas, correm riscos de o feto apresentar problemas genéticos, ou síndrome de Down e outras malformações do feto; seu conteúdo genético e resistência física já não são mais tão saudáveis como antes, correm o risco de desencadear diabetes ou hipertensão. Por isso, há opção pelo Filho Único, e sua chegada acalma o furor da mulher de querer ser mãe.**

ALTA PERFORMANCE EM FAMÍLIA COM FILHO ÚNICO

A vida com um Filho Único não é tão fácil quanto parece. Tem suas peculiaridades, vantagens e desvantagens, que precisam ser conhecidas. Ter bons conhecimentos educacionais para com os filhos, únicos ou não, melhora muito a performance familiar. Famílias com baixa performance não têm muito como exigir boa performance dos filhos.

Cada vez que algum membro da família apresenta baixa performance pessoal, a Família de Alta Performance está sendo prejudicada. E muitas ações dos Filhos Únicos provêm dos seus próprios pais. Um mau comportamento do Filho Único pode revelar falhas educativas dos pais. Pode ser tomado como ponto de partida para os pais melhorarem suas performances.

FILHO ÚNICO NÃO É ANOMALIA

Ser Filho Único não é ter anomalia, nem doença, como se considerava tempos atrás. Filho Único pode errar, mas o seu erro deve ser corrigido, pois não é errando que se aprende, mas sim, corrigindo o erro. Para o erro ser corrigido, é preciso que seja identificado e compreendido.

Procuro transmitir neste livro o que eu aprendi atendendo famílias com Filhos Únicos. E muitas delas deixaram de sofrer da síndrome. Para algumas famílias, bastava o reconhecimento dos erros e a busca de **atitudes corretivas**. Outras precisaram de ajuda mais terapêutica para poder entender que o que sobrecarregava o filho era o excesso: elas acreditavam que quanto mais dessem amor, proteção, carinho, permissão para fazer tudo o que ele quisesse, melhor seria. E algumas famílias até compreenderam os problemas, mas não conseguiram corrigi-los.

Apesar de cada caso ser um caso, isto é, cada família ter suas próprias características funcionais, consegui reunir alguns procedimentos básicos que podem ser adequados a cada situação para melhorar a síndrome, e a família se tornar de Alta Performance.

a. Filho Único tem de dormir sozinho

O filho precisa aprender a dormir sozinho desde bebê. Quanto mais tempo ele for poupado desse aprendizado e dormir na cama dos pais, tanto maior será o sofrimento para depois dormir sozinho. A performance de sono de uma criança que dorme no colo e acorda no berço é ruim, pois ela exige colo, que se torna seu local de dormir. Dormir no colo tem de ser exceção. Se dormir umas poucas vezes no colo, a criança se acostuma e passa a reclamar quando colocada no berço.

A criança que acorda várias vezes à noite perturba sua fisiologia neurobiológica de produção da melatonina, que ajuda no seu crescimento. Ela acaba trocando o dia pela noite, num sono que não é tão reparador quanto o da noite. Ela se acostuma a **escravizar um adulto** toda vez que tiver sono, ou despertar depois que dormiu, exigindo colo. Dificilmente a performance conjugal dos pais é mantida quando a criança não dorme sozinha.[11]

Da pré-puberdade em diante os filhos terão de dormir sozinhos, pelos próprios hormônios sexuais que estão chegando, pela vida social que começa a existir. Filhos Únicos precisam adquirir este costume para poder dormir na casa de amigos, em viagens com a escola etc. Crianças que dormem sozinhas têm uma boa qualidade de sono, o que ajuda na sua performance diária.

b. Se não quiser comer, que não coma nada!

Se um filho não quiser comer na hora da refeição, que não coma. Os pais que não fiquem enganando, brincando de aviãozinho, prometendo presentes. Ele tem que aprender que comer é uma decisão e necessidade, e não uma obrigação dos pais e muito menos uma arma apontada contra eles. Se não comer com a família, que não se dê comida de maneira nenhuma até a próxima refeição. Ninguém morre de fome onde há comida.

Mais que comer, o importante é, queira ele ou não, sentar-se à mesa e permanecer sentado durante a refeição dos pais,

[11] Veja no livro *Quem Ama, Educa!* Formando cidadãos éticos. Paz para a criança dormir, p. 121 a 129.

mesmo sem comer, para simplesmente bater papo. É hora da convivência, do "happy hour".

E o melhor tempero da comida continua sendo a fome. Conhecendo a fome, um filho conhece a saciedade. Quem nunca sentiu fome, não aprende a se organizar para as refeições e vive comendo a toda hora. Aliás, por maior que seja a fome não se pode dar uma bolacha ou qualquer sanduichinho antes de uma refeição. A "fome" às vezes é apenas o **mau costume** de não aguentar esperar.

Quem não suporta uma fome passageira, não desenvolve a importante capacidade de suportar e superar pequenas frustrações do cotidiano. É essencial para Alta Performance que a pessoa suporte frustrações.

c. Ensinou? Exija que pratique o que aprendeu!

Depois que pai ou mãe ensinaram uma regra ao filho, pergunte se ele a entendeu. Se entendeu, peça a ele que lhe explique com as palavras dele. Esta é uma maneira de transformar uma informação em conhecimento. Um conhecimento adquirido requer a prática para sua consolidação.

O filho **tem que praticar** o que deve fazer, e os pais devem exigir que faça-o e não devem explicar outra vez a mesma regra. O filho não pode fazer outra atividade – comer, beber, dormir, fazer xixi etc. – enquanto não fizer o que precisa, mesmo que se tenha de usar de força física para colocá-lo de volta no "local do trabalho".

Normalmente o filho acaba fazendo a obrigação rápido para se ver livre. O importante é que faça (ação) e não venha com explicações, desculpas, justificativas e postergações (conversas no lugar da ação). Cada vez que o filho cumprir sua tarefa, ele estará praticando a regra. A Alta Performance do filho começa quando os pais não mais precisam cobrar dele o que é preciso. Isso aumenta sua competência e melhora a sua autoestima.

d. Coerência entre os pais

O casal de pais tem que combinar coerência entre si. Há situações de incoerência que deseducam os filhos, principalmente o Filho Único: "Antigamente papai não deixava, mamãe deixava, a gente fazia escondido..." A incoerência entre os pais é a **brecha** que o Filho Único usa como arma para conseguir o que quer. É como um carro com duplo comando de direção. Ou eles entram em acordo ou não chegarão a lugar nenhum.

Pai bagunceiro, que não se incomoda em viver na bagunça, perturba a mãe ordeira. Em nome do filho ambos terão que chegar a um acordo. O pior é que a mãe acaba chamando o pai de bagunceiro e o pai chamando a mãe de chata. O filho perde o respeito pelos dois e sem respeito não se consegue uma boa educação.

Se o casal tivesse mais filhos, o conflito seria generalizado e dividido por todos. Mas quando tudo se concentra no Filho Único, ele tira vantagens imediatas jogando um contra o outro.

Numa escola, onde se exige disciplina e cooperação de todos os alunos, pode ser que o filho aprenda a trabalhar em ordem, a respeitar as vontades de sua equipe de trabalho. Não há Alta Performance sem líderes coerentes.

e. Regras têm que ser constantes

Os pais devem praticar a constância. Um dia pode, outro dia não, ou um sim que se transforma em não e vice-versa prejudica muito o estabelecimento de valores na formação da personalidade do filho.

Mesmo que os pais estejam alegres, não devem permitir que o filho faça o que nunca antes foi permitido; nem na presença de visitas, parentes, seja lá quem for, a regra tem que valer sempre. Nem avós nem tias têm permissão para quebrar as regras, sob risco de receberem chamada de atenção na frente do filho.

Como crianças "esquecem" as regras quando recebem amigos e primos em casa, ou vão passear juntos, os pais devem interferir somente em casos extremos de perigo, agressividade, violência, chutes, ou quando forem chamados. Até os filhos incorporarem regras e realmente as praticarem, uma pequena **tolerância** com seus pares não os deseducará. Mas uma exceção não pode virar regra.

Os pais não devem aceitar argumentos como "na casa da vovó pode" e deixar de cumprir as regras na própria casa. Como pode ter Alta Performance quem não mantém constância nas suas realizações?

f. Educação é assumir as consequências

Os pais têm que ensinar ao filho que assuma as consequências dos seus atos. Se um filho não sabia que não podia fazer, os pais têm que ensiná-lo e já combinar as consequências. Se o filho já sabia, e assim mesmo errou, está na hora de cobrar as consequências.

Não guardou o brinquedo com que brincou? Então, perde o brinquedo. Não escovou os dentes? Então, não pode ir dormir, nem brincar, nem ver televisão, nem jogar joguinhos eletrônicos, nem conversar com os pais – nem nada. Foi deitar escondido? Vai ter que acordar para escovar os dentes. Vai ter que ficar no banheiro com as portas abertas até escovar os dentes. Escovou? Então pode fazer o que quiser, desde que seja adequado para aquela hora.

A existência ou não das consequências dependem muito mais do filho que cumpre ou não o seu compromisso. Se cumprir nada lhe acontece. Se não cumprir, é que as consequências aparecem. As consequências a sofrer despertam a cidadania nas pessoas, isto é, **deve-se fazer** o que tem que ser feito mesmo que os pais não estejam presentes. Esse é o desenvolvimento do dever. Quem cumpre os seus deveres tem Alta Performance.

g. A regra é dura para quem é mole

Aos pais estas medidas parecem duras demais? São, sim, mas nem tanto. Para os filhos vencerem na vida, precisam de uma boa formação, o suficiente para atender a qualquer preparador físico ou técnico para uma competição, um superior numa organização empresarial, um patrão cobrando resultados e/ou enfrentar uma doença grave. A formação não vem de repente, nem se adquire de graça. É a força de superação forjada pela educação. As regras são duras para as pessoas que são moles.

Foi com um treino intensivo, de cinco horas por dia, nos sete dias da semana, durante vários anos, que Michael Phelps obteve 8 medalhas de ouro nos Jogos Olímpicos de Pequim, consagrando-se assim como o **maior atleta olímpico** de todos os tempos.

Quem vê o sucesso dos outros pode achar muito fácil conseguir o mesmo resultado, porque não contabiliza os sacrifícios, as festas a que deixou de ir, a disciplina rígida, o controle alimentar e do sono etc.

Ninguém pode fazer pelo filho esse trabalho. É o filho que tem que tirar de dentro de si a força, determinação e disciplina. Ninguém produz o máximo fazendo o mínimo. Esta Alta Performance pessoal tem que ser desenvolvida.

h. Só castigos não educam

Um castigo não educa uma criança. O que educa são as consequências. O princípio da consequência, já descrito, é para que a pessoa identifique o erro e o corrija e assim **aprenda a não errar** mais. Se rapazes queimam mendigos ou índios "por farra", eles não deveriam simplesmente ser presos. Deveriam trabalhar em hospital no setor de queimados para lhes fazer curativos. Assim eles perceberiam o mal que causaram. Uma pessoa que ouça os gritos de dor de um queimado não vai querer se divertir queimando outro ser vivo.

Adolescente não deve pagar uma cesta básica com o dinheiro do pai por ter cometido uma transgressão, ter pichado um orelhão. Mil vezes melhor é que o jovem lave ou repinte o orelhão, pois ele aprende que dá trabalho refazer o que ele estragou. Isto é consequência, não é castigo, pois numa Família de Alta Performance, os filhos constroem sua própria performance pessoal.

i. Qualquer tarefa tem prazo para execução

Toda ordem tem prazo para execução. Não há trabalhos, tarefas, ordens e pedidos que não tenham prazo para execução. É o tempo necessário para terminar o combinado. Geralmente os Filhos Únicos têm muitas iniciativas, mas, "poucas acabativas". Começam alguma atividade – curso, esporte, estudo – e a largam no meio, sem acabar e já começam outra... Do filho tem que ser exigido terminar o que começou para desenvolver sua performance, principalmente se for Filho Único.

Esta cobrança deve ser uma prática constante até o filho incorporar os **sentidos de obrigação e missão cumprida**. Quando a mãe, ou pai, está ensinando um filho a guardar o brinquedo que ele mesmo tirou da caixa de brinquedos, é necessário praticar. No começo, ajudado pelo prazo dado concretamente: "Vou contar até três" é um belo prazo. "Se eu chegar ao número 3, eu vou pegar o brinquedo e dar a uma criança pobre". Nesse momento, a mãe já começa a contar em voz alta e firme. O filho tem que imediatamente terminar o que começou, isto é, para terminar a brincadeira ele tem que guardar o brinquedo. Se a mãe chegar no três e não cumprir o que disse, ela estará sabotando sua própria autoridade educativa e perdendo sua performance. Cumprir prazos é um dos pilares da Alta Performance.

j. Regras sem interferências alheias

Quando estiver aplicando alguma regra que todos já entraram em acordo, não aceite interferências de terceiros – empregadas, avós, visitas, padrinhos etc. –, pois querer bem ao Filho Único não é *fazer* por ele, mas confirmar *que ele seja capaz de fazer*.

Cada adulto tem seu ponto fraco, o qual, quando atingido, permite que caia no jogo do Filho Único: um pedido carinhoso, choro, grito, insistência, manha, má educação, tristeza, promessa de que vai melhorar, de que é a última vez etc.

A técnica mais usada pelos filhos é a **campanha da boa imagem**. De repente o filho passa a ser o modelo que os pais sempre sonharam ter. Faz exatamente tudo o que sempre lhe foi pedido – até conseguir o que quer. Depois volta ao que sempre foi. A discordância das ideias dos adultos é a brecha pela qual entra a delinquência dos filhos. Família de Alta Performance não apresenta incongruência das autoridades nem delinquência dos dependentes.

k. Se bater resolvesse

Bater em filho não resolve o problema. Bater é a perda do controle emocional sobre a razão. **Violência gera violência** além de não educar. Atendi uma mãe que, cada vez que batia no filho, apanhava dele de volta. E ele tinha 2 anos. Como será quando ele tiver 18 anos? Além disso, apanhar pode desenvolver revolta e a espera do dia da vingança.

Aliás, o ditado "quem não aprende com amor, vai aprender com a dor" pode ter várias interpretações. Esta dor é a futura, a dor de sofrer na vida, de se arrepender por não ter estudado, de não conseguir o que desejou, de ter péssima qualidade de vida, de não ter competências e conhecimentos mais elaborados, do arrependimento, enfim, de ter tão baixa performance.

Uma criança de dois anos aprende muito mais se a mãe sair magoada do local onde ambos estão do que apanhando. Se a mãe vai embora, a criança pode se sentir culpada e pedir que volte. E nesse caso, a mãe não deve voltar enquanto não se passarem alguns minutos. Porque é importante que a criança sinta a falta da mãe, mas não que se acostume com a ausência dela. Quando ela se acostuma, a consequência já não está mais funcionando. Boa performance não se atinge com pancadarias.

l. Não grite! Eu escuto bem

O que uma criança detesta é que gritem com ela, mesmo que ela grite com os outros. Quando um filho gritar com a mãe, esta deveria se retirar e ir para um lugar fora do alcance dos olhos e da voz dele. Quando ela voltar, deve perguntar ao filho "Por que a mamãe foi embora?". Na resposta, espera-se que surja a responsabilidade dele. E então ela poderia acrescentar: "... e todas as vezes que você gritar, eu vou sair de perto de você". Porque só dizer não basta.

Entretanto, é comum a mãe perder autoridade pelo desgaste da convivência e **pela intimidade abusiva** que se cria além de ela temer ser dura demais e traumatizar a criança, seu Filho Único.

Numa praça de alimentação num shopping, ao meu lado estava uma criança que gritava muito e não obedecia a ninguém. Incomodava a todos nós. Aguardei a criança gritar e lhe fiz um shiii! com o dedo nos lábios pedindo silêncio. A criança, que deveria ter 3 anos de idade, olhou para mim assustada e ficou quieta. Então, eu disse: "Não precisa gritar porque todos nós ouvimos bem". A paz voltou aos comensais. Nesse caso, o santo de casa não fez o milagre. Família de Alta Performance e gritaria não combinam.

m. Campanha da boa imagem

Filho Único fica um amor quando quer alguma coisa dos pais. É a campanha da boa imagem, que acaba assim que ele consegue o que quer. Para **ter mérito** é mais trabalhoso, elaborado, demorado e medido pelo resultado apresentado. Muitos pais desconfiam dessa boa imagem, mas ela já serve (como qualquer outra desculpa serviria) para que os pais cedam e agradem ao Filho Único mesmo que ele não mereça.

Muito cuidado, pois na realidade os pais também estão usando a boa imagem para satisfazer suas vontades de pais únicos. Quem cai em chantagens percebe a possibilidade de lucrar com elas.

Adolescentes que usam drogas e são surpreendidos pelos pais, geralmente perdem liberdade, confiança, ficam em casa, não veem mais os amigos, não fazem mais programas até a confiança voltar. Nesses casos, o que impressiona é a campanha da boa imagem. Aceitam tudo, não reclamam de nada, acham justas as medidas tomadas pelos pais, agradecem-lhes pela interferência e prometem não usar mais drogas. Tudo muito razoável, muito bonito, a não ser por um pequenino detalhe: continuam usando drogas, mas agora com um cuidado muito maior.

Quem usa a campanha da boa imagem deve estar pensando: "agora vou agradar a esses trouxas para amansá-los, depois volto a fazer tudo o que quero outra vez!". Alguém que não fala o que está pensando não pode ter boa performance.

n. O combinado não é caro

Escovar dentes, guardar brinquedos, não gritar com ninguém, fazer lição de casa, deixar em ordem o que usou e outras obrigações do dia a dia devem ser previamente combinadas com o Filho Único, incluindo quais as consequências com que arcar se as regras forem descumpridas.

Em geral, os pais procuram poupar os filhos desses compromissos. Filhos assim poupados são **menos competentes** do que os que já se viravam sozinhos. Mas o preparo para a vida exige o máximo dos filhos. A vida corporativa exige uma visão de 360°. Cumprir tarefas é o mínimo que está sendo pedido, mas o filho pode fazer muito mais.

As empresas hoje estão trabalhando no que as pessoas vão precisar no futuro, antevendo o que nem sabem que lhes será essencial, como o telefone celular, por exemplo, que surgiu há poucos anos, sem o qual se torna difícil viver.

Essa clareza em relação ao futuro deve ser muito maior com os Filhos Únicos, pois estes têm mais tendência ao ócio. A sociedade, porém, não está preocupada se o cidadão é Filho Único ou não: quer resultados. Assim, aquele que, além de cumprir o combinado, atende além do que lhe foi pedido, consegue melhor performance.

DISCIPLINA É A BASE DA VITÓRIA

Os pais para chegarem onde estão precisaram de disciplina. E disciplina não traz mais o ranço do autoritarismo, da obediência cega às ordens dos "superiores", como na geração dos avós e bisavós. Disciplina é uma qualidade construída na vida, fundamental para se atingir qualquer vitória pois é a força da atitude necessária para conseguir realizar o que se propõe.

A vitória é uma superação dos obstáculos interno (em primeiro lugar) e externo (em segundo) e depende de cada um.

O verdadeiro vitorioso reconhece, respeita e valoriza o adversário (obstáculo) vencido, pois poderia ser ele o vencido. Ganhar e perder fazem parte da vida. O que mantém a vitória é a disciplina de continuar treinando, inovando, aprendendo e praticando. O sucesso não depende de quem o quer, pois ele é o reconhecimento dos outros sobre a sua vitória. O sucesso é efêmero e passageiro, apesar de alimentar muito a autoestima.

Quem corre atrás do sucesso ou vive em função dele sofre desgaste de sua força, que deveria ser aplicada para conseguir a vitória pessoal. É o jogador que quer agradar à torcida.

Disciplina é um dos mais fortes ingredientes da Alta Performance. É ela que encaminha a pessoa para a vitória que chama para si o sucesso.

FILHO ÚNICO QUER SUCESSO SEM LUTAR

O Filho Único fica muito acostumado a ganhar tudo sem mérito algum, sem nenhum esforço, já que os seus pais fazem por ele tudo o que puderem.

Na escola, com seus coleguinhas, ele percebe que nada lhe vem de graça, como está acostumado em casa. É preciso um bom trabalho escolar para o Filho Único se integrar com os seus pares.

Quanto menor for a Síndrome de Filho Único, maior será a sua capacidade de adequação e adaptação à escola. Muitos problemas do Filho Único provêm dos seus pais, que tudo fazem para que ele tenha *status* perante seus coleguinhas.

O *status* não vem imposto por fora, nem por quem quer, mas é atribuído pelos outros, assim como é o sucesso. O sucesso dos pais **não garante a felicidade** do Filho Único na sua escola, perante os coleguinhas. Entre os pares, vai valer o que cada um é e tiver dentro de si para usar em benefício de todos.

O querer aparecer rouba energias necessárias para conseguir uma vitória. Quer dizer, o aluno gasta mais para aparecer do que para vencer. Se o Filho Único vaidoso soubesse que o que lhe traz fama são as vitórias, e não correr atrás dela, ele teria mais disciplina e foco para atingir os seus objetivos.

Quem apresenta Alta Performance chama o sucesso para si.

DESTEMPEROS EMOCIONAIS SÃO PREJUDICIAIS

Agressões como chutar, socar, morder e cuspir, nem os animais merecem receber! Assim também os filhos não merecem os destemperos dos pais, nem os pais, dos filhos. Agressões e violências são produtos da imaturidade e impulsividade.

Tais destemperos emocionais merecem um tempo para se conversar sobre eles, e concluir quais seriam os melhores caminhos alternativos para corrigi-los. Na hora, quem manda neles é a irracionalidade e não a razão.

O que os filhos precisam é construir a sua própria vida. Mesmo que os tijolos sejam de boa qualidade, se no cimento estiverem os maus humores e disparates, as prepotências e submissões, os folgados e os sufocados, a construção pode não ser boa.

Quando o Filho Único, mesmo sofrendo com as destemperanças emocionais, permanece com elas é porque está recebendo ***reforços para sua manutenção***. Funcionam como reforços a submissão, a negação, o atendimento imediato ou até mesmo a sufocação das reações que poderia ter.

Antes de os educadores responderem em ressonância com tais destemperos, vale a pena interferir e pedir que se acalme, não grite, pare com a confusão, com voz firme, clara, alta e imperativa, olhando nos olhos e impondo que olhe nos seus olhos, mesmo que tenha que segurá-lo pelos braços, sapateando ou não... principalmente se for Filho Único.

Um Filho Único não recebe estímulos provocativos diretos de irmãos, pois ele não os tem. Com irmãos pequenos existe "uma briga a cada 10 minutos"[12], segundo uma pesquisa na Universidade de Illinois, nos Estados Unidos. Há um mundo de adultos à sua volta quase a lhe servir e ainda se destempera? Isso é grave. Os destemperos emocionais prejudicam tremendamente a Alta Performance.

[12] *Época*, Edição n° 545, de 27/10/08, p. 132.

TRABALHE O DESTEMPERO

Se tudo isso não funcionar e o Filho Único continua destemperando, aprontando horrores, demonstrando um arsenal de falta de educação, não se destempere. Diga a ele que você vai sair enquanto ele se acalma para poder conversar.

Entrementes, se um dos educadores começar a se destemperar com seu filho (que dever único naquela hora) durante uma conversa mais séria, ele deve se acalmar primeiro.

Para se controlar, respire fundo, fale pausadamente ou pare de falar, beba um gole de água, interrompa a conversa para continuar em seguida... Enfim, faça o que for melhor para se acalmar.

Se estes procedimentos não funcionarem e permanecer a vontade de esganar o filho, saia da sala e agite o corpo, grite, soque almofadas, conte até mil... Respire fundo e volte para a sala.

Mas, ao sair, não grite com o filho (único ou não) nem lhe dê uns cascudos mesmo que merecidos, senão o destemperado é você. Não dê chances para o filho falar, perguntar ou fazer algo e rapidinho sair do local.

Educação é **um projeto racional** e não puramente emocional. As explosões e os destemperos geralmente danificam em segundos o que se levou muito tempo e recursos para ser construído.

Não se consegue Alta Performance com trancos e barrancos, gritos e sopapos...

NECESSITADOS E CHANTAGISTAS

Mendigos fazem dinheiro pedindo esmola. Não ganham esmola se não forem mendigos. Portanto, a esmola obriga o esmoleiro a se manter na pobreza.

Dó ou piedade é um sentimento de compaixão que nos inspira a vontade de ajudar os verdadeiramente necessitados. Os filhos que se fazem necessitados não conhecem a verdadeira necessidade. O que eles sentem é frustração e não penúria.

Quando o Filho Único se frustra, parece que ele quer morrer. Quer dizer, não suporta frustração, que faz parte da vida. Portanto tal confusão é falta de educação. E foi estimulada pelos pais que por temerem traumatizar os filhos não os preparam para enfrentar frustrações.

Quem não souber perder, não vencerá. Se os filhos são privados das perdas, os pais estão aleijando os filhos na força para superar frustrações. Se esportistas abandonassem seus esportes a cada derrota que sofressem, não teríamos campeões.

Na realidade, os filhos se fazem de "coitadinhos" para ganhar o que querem e estimular compaixão nos seus pais. "Coitadinhos" não são necessitados, eles se passam por necessitados. Estão fazendo **chantagens emocionais**.

Chantagens e mentiras não levam à Alta Performance, pois elas têm pernas muito curtas.

PIEDADE E ESMOLA NÃO EDUCAM

Piedade e esmola são inimigas da educação. Isso vale principalmente para o Filho Único, que não merece pena e muito menos precisa de esmola, pois, em geral, lhe é dado mais do que precisa.

Quando os pais negam algo que o filho quer e este faz cara de coitadinho, de menor carente abandonado, os pais ficam com pena e chegam até a exclamar, ironicamente ou não, "que dó!".

O filho já se sente meio vitorioso, pois ele conseguiu fazer com que seus pais percebessem o estado, verdadeiro ou fingido, como ele ficou. Agora é só uma questão de tempo, pensa ele.

Os pais acabam desconsiderando as negativas anteriores e arrematam tudo dizendo "Está bem, **desta vez pode**!". Então o filho sente-se vitorioso duas vezes, venceu o obstáculo que os pais colocaram e ganhou o que estava querendo.

Por que os pais consentiram algo que haviam negado antes? Disseram um *sim* que aniquilou todos os *nãos* ditos até então? Nada mudou, o filho não fez nada de diferente a não ser permanecer na insistência, isto é, o filho não agregou nenhum valor à situação que justificasse essa mudança. Passar por coitadinho sem sê-lo além de falsidade ideológica, perde credibilidade, sem a qual não existe performance que resista.

FILHO ÚNICO TIRANIZA "CORAÇÃO-MOLE"

Então por que os pais falam "desta vez..."? Significa que a alteração veio dos próprios pais. Ou seja, o filho faz os pais proibirem e depois os faz engolir. Quem tem poder no relacionamento, de fato, é o filho. Significa que os pais ficaram com pena e deram uma esmola, e o filho nada fez para merecer essa mudança.

O que o filho aprendeu com isso? Que ele é todo-poderoso, que pode fazer o que quiser, pois, mesmo que lhe venha uma "negativa", ele consegue anulá-la e ainda acaba ganhando o que quer.

Para que o filho respeite os pais é necessário que estes mantenham a coerência e a constância na ação prometida e também façam repreensões.

Se mesmo assim, o filho insistir, os pais podem dizer que com mais uma insistência ele perderá o próximo privilégio, "x". Se insistir outra vez, então os pais têm que cumprir o prometido. O combinado é combinado. Questão encerrada.

Para os pais poderem cumprir, isto é não darem o "x", é preciso que seja algo sobre o que os pais tenham controle absoluto.

"Vai já para o seu quarto!" O filho pode ir para o quarto, mas uma vez dentro do quarto, ele pode fazer o que quiser e não o que os pais mandaram. Corações moles **criam moloides** e não pessoas de Alta Performance.

INSISTÊNCIA MALANDRA E VIRTUOSA OBSTINAÇÃO

Por que o filho insiste? Porque aprendeu que os pais mudam de ideia e atendem a sua vontade. O filho aprendeu que os pais não aguentam uma negativa até o fim, portanto acaba compensando ser mal-educado e insistente.

Um profissional recebe um aumento de salário não por insistir no pedido, mas porque melhora sua performance. É a meritocracia. Portanto os pais/professores/patrões que atenderem as malandragens dos seus filhos/alunos/empregados, além de não os educarem, estão se tornando reféns dessas manobras relacionais.

O insistente age egoisticamente fazendo tudo exatamente igual, mas querendo um resultado diferente. Como pode um aluno tirar uma nota melhor na prova, se nada acrescentou ao que sabia para a prova anterior?

Na insistência, o malandro depende não dos próprios valores, mas de os professores serem mais benevolentes, de os pais, mais negligentes e de o patrão, mais conivente.

Um filho com **virtuosa obstinação** agrega valor no próximo pedido, melhora sua proposta. Convence os pais a aceitarem o seu pedido. É a persistência obstinada de um cientista que a cada tentativa muda uma tecla, acrescenta ou subtrai outra, até que descobre o caminho que desvenda o mistério. Todos saem beneficiados pela descoberta.

A virtuosa obstinação é a que forja os campeões, que estimula o cientista e o inventor a darem um passo além. Um recordista esportivo tem essa obstinação, como a tem um bom escritor ou o médico que atende o seu paciente.

Um adolescente, cujos pais o proibiram de ir às baladas com amigos, merecerá ir numa próxima, apenas se ele corrigir o erro.

Não é com insistência malandra, mas com virtuosa obstinação que se faz a Alta Performance.

MELHORAR A PERFORMANCE EDUCATIVA

Como os pais podem recuperar a autoridade educativa perante filhos que não os respeitam? Segue uma lista de atitudes viáveis de serem praticadas, mas cuja verdadeira funcionalidade está na sua manutenção:

a. **A proibição tem que estar clara e bem decidida internamente. É um não para o qual não há argumentos.**
b. **Fale clara, firme e brevemente com pouquíssimas palavras, sem rodeios, nem justificativas prévias e sem brechas para retrucos. Comunicação não é um diálogo.**
c. **Não é preciso gritar, ofender, menosprezar, diminuir, ironizar o seu filho para criar uma comunicação racional, onde a emoção além de não ajudar, atrapalha.**
d. **Fale também com os olhos, fitando o filho, fazendo coerência com a fala. Não desvie o olhar antes de acabar de falar. Exija ser olhado.**
e. **Não permita que faça nada enquanto você estiver falando.**
f. **Faça-o repetir o que você falou. Equivale à assinatura do contrato.**
g. **A insistência do filho não é uma desobediência ao não dos pais mas uma tentativa de fazer os pais transformarem o não em sim.**
h. **Após o término da comunicação, você pede para o filho sair se estiver no seu ambiente; ou você sai se o ambiente for dele. A presença física pode**

significar para o filho a possibilidade de prolongar a conversa na tentativa de demover os pais do não.

RESPOSTAS INADEQUADAS ÀS BIRRAS

Observando pais e seus filhos birrentos, fiz uma lista de respostas inadequadas às birras para que os pais possam manter suas boas performances:

a. **Querer interromper a birra do filho de qualquer maneira. Parar a birra depende dele. O que depende dos pais é sair do local.**
b. **Fazer de conta que não está acontecendo nada. Isso aumenta a birra.**
c. **Ameaçar o birrento com: "Você vai ver quando chegar em casa"; "nunca mais trago você comigo" etc. Os filhos sabem que são promessas que não se cumprem.**
d. **Se a birra aumenta ou diminui conforme a ação dos pais é o filho que está comandando o espetáculo, como se fosse uma "negociação" entre pais e birrento.**
e. **Os pais não devem acreditar no destempero emocional do birrento. Esta é a arma com a qual ele controla os pais.**
f. **Os pais não devem aceitar nunca o "então me dá outra coisa". Esta é a vitória do birrento: ganhou alguma coisa.**
g. **Pais devem lembrar sempre que birra é uma extorsão abusiva do amor dos pais "sufocados" por tamanha tirania.**
h. **Tentar argumentar com o birrento é sinal de derrota dos pais. Contra birra não há argumento que resolva, pois enfrentar a birra é uma questão de atitude.**

ATITUDE DOS PAIS PARA ENFRENTAR A BIRRA

A birra, uma performance do mal, é uma violenta explosão corporal com gritos, socos, pontapés e agressões, provocando constrangimento e vergonha pública nos pais. Birra não é perda de controle. É tentativa de controlar tiranicamente os pais. Os pais podem retomar o controle da situação mudando de atitude perante a birra:

- a. **Se o filho já ouviu um primeiro não, os pais não devem mais replicar com palavras dizendo um segundo não.**
- b. **Manter o não com o corpo, não ouvir contra-argumentação, continuar o que fazia; sem olhar para ele, direcionar o braço na direção dele e gesticular um não com o indicador.**
- c. **Ser benevolente contado até 3 agora olhando nos olhos dele, ou aproveitando o indicador e levantá-lo, gesticulando o número 1, a seguir levanta o dedo médio gesticulando o 2 e por último o anelar, o 3. Se chegar ao 3, adotar a medida já combinada.**
- d. **Não pagar e largar no local todas as compras do birrento e sair quase correndo. Lembrar sempre de não comprar aquele brinquedo nunca mais.**
- e. **A mãe sair correndo significa perigo para o filho. Ele corre atrás.**
- f. **Já em paz, combinar que após a próxima tentativa, o birrento esperará os pais fora da próxima loja.**

ALEIJAR OS FILHOS

Por mais gradável que seja, ou que nada lhes custe fazer, os pais não devem fazer nada que os filhos possam fazer sozinhos, principalmente quanto ao Filho Único.

Mães há que fazem a lição da escola pelo filho, enfeando a própria letra ou imitando a letra dele. Um filho não pode ser avaliado pelo que não fez. A quem essas **mães estão enganando**?

Os professores sabem quais os alunos que têm ou não competência para fazer um trabalho escolar. Se não, descobririam o engodo pela forma e conteúdo do pensamento, que é muito diferente entre uma criança e um adulto. É como se a mãe tomasse o remédio para curar um filho doente.

Tarefa do filho quem faz é ele. Professores preocupados tentam identificar o problema de um aluno que não consegue fazer a sua tarefa. Quando a mãe faz a lição do filho, a avaliadora considera que o aluno sabe e segue a matéria em frente. Cada vez mais a mãe terá que fazer o que não deve, e o filho está deixando de aprender.

Um filho cuja mãe guarda sempre os brinquedos não pratica a cidadania familiar. Um Filho Único pode ter sua performance prejudicada pelos adultos hipersolícitos à sua volta.

"ALEIJADOS" ABANDONAM O QUE ELES FAZEM MAL

O filho acaba se desinteressando daquilo em que ele vai mal. Logo ele quererá abandonar os estudos. Além de não desenvolvê-lo, a mãe ajudou o filho a atrofiar o que sabia.

Esse tipo de proteção, **gentil poupança**, prejudica os filhos, pois, apesar de ser por amor, decepa o broto da iniciativa do futuro empreendedor, e o sentido do dever do futuro responsável.

Pais há que colam figurinhas e montam quebra-cabeças que o filho deveria fazer. Pode ficar perfeito, mas não foi o filho que fez. Vale mais para a autoestima do filho sentir que foi ele que fez, mesmo que não esteja perfeito.

O que lhe adianta a perfeição do pai? Sua imperfeição vai se distanciando da perfeição do pai e o filho acaba abandonando o fazer e atrofiando o que já fazia.

Pais que fazem os deveres do filho estão impedindo o desenvolvimento da prática; esse gesto de amor acaba aleijando o filho. A performance negativa é dos pais, pois o filho retrocede na vida.

A esperança desses pais "aleijadores" é que o Filho Único melhore quando crescer, quando casar, quando tiver que trabalhar etc. Doce engano. Amadurecer é um processo lento de construção diária das competências.

ALICERCES INTERNOS PARA A CONSTRUÇÃO DA CIDADANIA

É no relacionamento a dois, nenê-mamãe, que uma pessoa começa a desenvolver uma atitude de relacionamentos com outras pessoas. Essa atitude é moldada pela mãe ou substituta de quem o nenê depende totalmente através do seu papel complementar.

Uma mãe que respeite a existência do nenê, que atenda as suas necessidades e direitos, que lhe facilite a vida, que proteja o seu sono, que o mantenha limpo, que converse muito docemente enquanto interage com ele, que seja cérebro-braços-pernas de suas vontades, estará fornecendo as bases de uma boa autoestima para a construção da sua personalidade e futuramente de sua cidadania.

O nenê estará recebendo dentro de si um modelo de procedimento relacional.

Mães bagunceiras acostumam as crianças a viverem na bagunça. Mas mães ordeiras também podem desenvolver crianças bagunceiras, caso não as eduquem. Educar é exigir que as crianças **pratiquem o que aprenderam**, que guardem os seus "brinquedos".

A criança que aprende que a brincadeira não acaba quando acaba a vontade de brincar, mas sim quando deixa a casa em ordem como a encontrou antes de brincar, saberá com certeza usar um banheiro público e deixá-lo em ordem para o próximo usuário.

O principal alicerce é a criança aprender que o ambiente tem que ser deixado em ordem, como gostaria de encontrar, não importa quem seja o próximo usuário.

FILHO ÚNICO DE MÃE ÚNICA OU PAI ÚNICO

Quando o Filho Único cresce somente com um dos pais, é muito mais frequente que seja com a mãe (mãe única) do que com o pai (pai único).

Crescer somente com o pai está muito relacionado com fatores como falecimento ou doença grave da mãe. Os parentes correm para socorrer o pai único.

Há namoradas do pai que tratam bem do Filho Único dele até terem seus próprios filhos, quando tudo muda...

As possibilidades de um Filho Único com mãe única vão desde a simples falta de conhecimento de quem seja o pai até ter um pai que não assumiu a paternidade.

Mas há também casos de doenças graves, de ausências por longos períodos de trabalho, de separações conjugais e até mesmo de casos em que o pai ou a mãe, mesmo presentes, são uma grande ausência na convivência com o filho.

Atendi uma jovem que ficou órfã na puberdade. O segundo marido da mãe era "detestável", o que a deixou traumatizada. Hoje porém ela está casada com um homem que é excelente marido e excepcional pai. Ela tem filhos e é excelente mãe e esposa. Seu passado não condenou seu futuro. Hoje essa família merece o título Família de Alta Performance.

MAIS MÃE QUE ESPOSA

São comuns os casos de mães que são "muito mais mães do que esposas" de um pai "vegetal"[13] em casa.

[13] Pessoa com estilo vegetal é aquela que vive como se fosse uma planta, à espera de que a reguem e façam tudo por ela.

Um pai "vegetal" é menos prejudicial que um pai que é muito mais macho que pai, que não pode ser contrariado, que bate nos filhos e na mulher, que é malévolo e malquerente. A verdade é que esse pai malévolo, além de ser do mau, é ativo.

Dificilmente se encontra uma mãe "vegetal" e malévola, pois com os trabalhos de gravidez, parto e amamentação, e os efeitos provocados pelo estrogênio, pela progesterona e pela ocitocina, não há mãe que não seja ativa. O efeito da testosterona, pelo contrário, é "paciência curta, voz grossa e mão pesada". Quem vive estressado sob o cortisol, portanto, é de muita "briga".

Nem sempre a mãe casada é culpada por se tornar mãe única. A mãe pode ter tido os dragões da separação adormecidos debaixo da cama, e pode ter tido dificuldades em se desfazer de um mau marido e péssimo pai.

Entre a proteção do bebê e a submissão ao mau marido, a mulher geralmente acaba optando por se vincular mais ao bebê que a ele. O **mau marido** é, em geral, também mau pai.

Em famílias com essa dinâmica, isto é, quando um dos pais tenta sozinho cuidar do filho do casal, há prejuízos na performance de cada um dos familiares.

PAI QUER A GUARDA DO FILHO

Apesar da base hormonal, há forte influência cultural nos papéis assumidos pelo homem e pela mulher. Há homens que lutam pela guarda dos filhos. É a situação de um pai que de repente se vê sozinho com seu filho pequeno.

Esse é o tema do filme *Kramer versus Kramer,* uma produção norte-americana de 1979, baseada no romance homônimo de Avery Corman, dirigido por Robert Benton.

A família Kramer era uma família comum, como qualquer outra. Para o pai, o trabalho vinha antes da família, mas a mãe abandona o lar e deixa o filho com o pai, que passa a cuidar da criança e se encarregar das tarefas domésticas. Quando tudo se reequilibra, a mãe volta exigindo a guarda do filho.

Este foi um dos filmes mais premiados da história do cinema. Um dos principais motivos desse sucesso é que o filme revela o cotidiano de pai e mãe na intimidade de um lar. Questiona e reafirma o poder da mãe sobre o filho, mas **liberta a mãe** da prisão representada pelo epíteto de "rainha do lar". O pai se torna herói porque finalmente passa a fazer o que sempre deveria ter feito.

Hoje, muitas famílias já passaram por situações desse tipo e estão entrando de vez na era das *working mothers* (mães que trabalham fora de casa). Cada vez mais as performances das pessoas valem mais pelo mérito do que pelo sexo ao qual pertencem.

INSTINTOS DE PERPETUAÇÃO DA ESPÉCIE

As bases biológicas para a perpetuação de espécie praticamente comandam os instintos da mulher nos três trabalhos de gravidez, parto e amamentação, e também na formação do vínculo simbiótico.

Apesar de não dispor dessa base biológica, o homem também sente amor pelos filhos e, de alguma forma, participa desses trabalhos.

O TRABALHO DA GRAVIDEZ

O trabalho biológico da gravidez acontece dentro do útero, independentemente da vontade da mulher. A biologia protege mais o feto que a mãe, enviando a ele proporcionalmente mais nutrientes e oxigênio que à grávida.

Do ponto de vista psicológico, a gestação também não poupa a mulher grávida. Há mães, verdadeiras heroínas, que guardam repouso absoluto por 9 meses, para não colocar em risco a vida do feto, como nos casos de alta possibilidade de aborto.

É o instinto de perpetuação da espécie. Quando a este instinto se junta o amor, não existe nenhum sentimento humano mais forte que o relacionamento mãe-filho. A grávida sabe e sente que **carrega outra vida dentro dela**. É um trabalho de Altíssima Performance.

Meu genro Maurício conversava meigamente com o bebê e acariciava suavemente a barriga da minha filha Natércia quando ela esperava cada um de meus netos. Os choros, depois de nascidos eram acalmados tanto pela voz e colo da mãe quanto do pai.

Acompanhar a esposa grávida na rotina de exames do pré-natal, protegê-la, provê-la e atender seus caprichos com cheiros e sabores extravagantes, poupá-la de fazer força, tudo isso também é manifestação de amor do homem pela esposa e pelo filho que vai ganhando forma e vida dentro da sua psique. É uma forma de gravidez masculina.

Quanto mais evoluídos e afetivamente seguros, mais espontâneos os homens se tornam com suas emoções e sentimentos, tornando-se melhores pais grávidos. Esta nova função masculina aumenta a sua performance na gravidez do filho.

O TRABALHO DO PARTO

O trabalho de parto, outra nobre exclusividade da mulher, é regido pela biologia e complicado ou ajudado pela psicologia. A parturiente **enfrenta a dor de parto** como algo natural e necessário e suporta o que um homem não aguentaria "nem morto".

O que impressiona os homens é saber que há mulheres que optam por sentir as dores do parto para não prejudicar o bebê por causa das medicações. A gratificação da mulher ao saber que já pariu é uma das maiores realizações da sua vida. Mesmo prestes a desmaiar, ela quer ver o bebê.

Hoje já é aceito como padrão de comportamento que o pai do bebê acompanhe o parto na sala e seja o primeiro a pegar o recém-nascido. Essa experiência, novíssima para o homem civilizado, fortalece muito o vínculo entre pai e filho.

Trata-se de uma grande mudança de atitude paterna em relação ao passado recente. Até bem pouco tempo, o pai ficava na sala de espera, esperando uma notícia do médico, para distribuir charutos aos homens presentes e então comemorar o nascimento do filho.

Perante o visível e grandioso trabalho de parto da mulher, a performance do homem é proporcionar a logística material e afetiva para que corra tudo bem.

O TRABALHO DA AMAMENTAÇÃO

O terceiro trabalho que completa a função de perpetuar a espécie é a amamentação. A amamentação é a função biológica que está mais sujeita à **interferência externa**.

Pela necessidade de trabalhar ou até mesmo por vaidade pessoal, há mulheres que desistem de amamentar. Esta decisão pode custar caro para a saúde do recém-nascido, que não possui defesas nem nutrientes naturais, e pode adoecer com mais facilidade, além de ser privado do contato seio-boca, essencial para sua saúde e bem-estar.

Com meses, um bebê é capaz de sugar uma batata frita. O seu cérebro registra o gosto da gordura e do amido, e passa a recusar verduras, frutas e outros alimentos. Sobrevive a imagem do bebê de propaganda (gordinho, vermelhinho, risonho) na cabeça dos adultos, mas hoje se sabe que muitos deles acabam sofrendo de obesidade infantil – uma tendência que pode acompanhá-los pelo resto da vida.

O papel do pai é ajudar o bebê a arrotar após a mamada, de forma muito delicada, fazendo movimentos com a intenção de niná-lo e não de sacudi-lo.

A performance de pai agora se amplia bastante, pois ele pode dar a mamadeira, ajudar a arrotar, trocar fraldas, dar banhos e participar de muitas outras formas do desenvolvimento de seu filho.

O VÍNCULO SIMBIÓTICO

Uma das maiores riquezas para o recém-nascido é seu relacionamento com a mãe, por causa da formação de um vínculo simbiótico. Isso significa que uma pessoa não vive sem a outra e ambas se beneficiam, ou não com esse relacionamento. A dependência do bebê é total e a da mãe, parcial.

Aceitar esta **dependência total** do recém-nascido – e sentir-se totalmente dedicada a ele – é algo que uma mulher não sente nem mesmo quando tomada por uma avassaladora paixão amorosa. Considero altíssima a performance relacional neste trabalho, tão importante quanto cada um dos trabalho anteriores, sem me preocupar se sua origem é biológica ou psicológica.

É difícil falar sobre a dependência da mãe em relação ao recém-nascido. Mas a sua intensidade relacional é tão grande que do seu quarto ela consegue perceber uma alteração de respiração do bebê.

A complicação deste relacionamento simbiótico é o prejuízo que traz a ambos (mãe e filho) quando ele permanecer e atrapalhar o natural processo de independência do filho. Ouço diversas mães relatarem o quanto esse relacionamento é intenso e exclusivo, como nenhum outro em sua vida.

O pai raramente estabelece um vínculo tão simbiótico quanto a mãe com o recém-nascido. No entanto, a atitude do pai cuidador pode ajudar muito a mãe a não ficar sobrecarregada.

INSTINTO DE SOBREVIVÊNCIA

O homem das cavernas tinha a vida muito estressante. Ou caçava-matava ou era caçado-devorado. Somos descendentes dos "matadores". Os que foram caçados-devorados não sobreviveram.

Os homens partiam para suas atividades de caça ("trabalho"), em grupo ou sozinhos, enquanto suas mulheres e crianças ficavam em lugar protegido, até que eles voltassem. Sobreviviam os mais astutos, fortes e capazes.

Hoje as ameaças reais não são mais as feras. Sobrevivem aqueles capazes de produzir e ganhar dinheiro. A ligação do homem com a produção equivale às caçadas pré-históricas: são uma questão de sobrevivência. Alguns homens exageram e trabalham mais do que o necessário.

Na grande maioria dos casos, faz parte do trabalho masculino proteger e garantir a sobrevivência da sua família. Uma mulher totalmente envolvida com os seus trabalhos não conseguiria sobreviver se não fosse a proteção e garantia de outra pessoa. Para **garantir a sobrevivência**, nossos ancestrais tiveram Alta Performance a ponto de estarmos hoje espalhados por todos os cantos do planeta.

SOBREVIVÊNCIA E PERPETUAÇÃO SÃO COMPLEMENTARES

A mãe percebe detalhes mínimos do bebê, que podem passar despercebidos pelos outros, inclusive pelo próprio pai da criança. Uma respiração mais forte, um soluço, nuances de choro ou outras manifestações faciais são rapidamente captadas pela mãe. Essa mãe está operando com Alta Performance.

A mãe fica tão voltada ao recém-nascido que aparentemente ambos ficam sem nenhuma proteção, tornando-se, aparentemente, presas fáceis para qualquer predador. Esse é um amargo engano, pois é nesse momento que a mulher mostra-se disposta a tudo para proteger seu filhinho.

Além de enfrentar a gravidez, o parto e o período de amamentação, um dos elementos de generosidade extrema de uma mãe para com os filhos é a disposição para sacrificar-se, e até mesmo morrer, para perpetuar a vida no filho.

A testosterona tem a sua parte mais forte no instinto de sobrevivência do que no da perpetuação da espécie. Ainda bem que a mulher é mais forte na perpetuação do que na sobrevivência. Assim nós, seres humanos, **estamos equilibrados** entre sobrevivência e perpetuação da espécie.

Um dos relacionamentos mais perenes entre os humanos desde os nossos ancestrais até hoje é o do casal que tem filhos. Isso sim é que é Alta Performance relacional.

PARTE II

FAMÍLIA DE ALTA PERFORMANCE COM 2 OU MAIS FILHOS

Início da formação de uma família

QUANDO UM BEBÊ NASCE É RESPONSÁVEL TAMBÉM PELO NASCIMENTO DE UMA NOVA FAMÍLIA. É a presença do primeiro filho que transforma um casal em família.

A separação de um casal sem filhos é muito mais simples que uma separação de cônjuges que também são pais. É possível virar ex-marido ou ex-mulher, mas pais são sempre pais, mesmo separados.

Com o nascimento de um bebê, nasce também um pai e uma mãe. A mãe tem certeza da maternidade: a gravidez é sua garantia. Um filho desenvolve o vínculo com a mãe antes mesmo de nascer.

A história tem demonstrado que o homem não tem tanta certeza de sua paternidade. Não são tão raros os casos em que pais exigem exames de DNA para comprovar a paternidade.

Na própria língua portuguesa a assimetria é evidente. Pai é sempre pai, seja no singular ou no plural. Mãe é mãe somente no singular, pois no plural, a palavra pais abrange o pai e a mãe.

As reuniões escolares são atividades mais familiares às mães que aos pais masculinos. Em reuniões escolares que chamam as mães, os pais masculinos não vão. Nas reuniões de pais da escola, a grande maioria é composta por mães, pois os pais masculinos geralmente não participam.

FAMÍLIA DE ÉDIPO

Pai e mãe são diferentes também em outro aspecto. É quase impossível deixar de ser mãe. No entanto, deixa-se de ser pai com grande facilidade. Na mitologia grega, há histórias em que pais masculinos matam seus filhos masculinos pela disputa do poder.

Laio, pai de Édipo, mandou matá-lo porque o oráculo de Tebas profetizou que o rei seria morto pelo próprio filho, que usurparia seu trono. Seu criado levou Édipo para a floresta, pendurou-o numa árvore com um gancho espetado nos pés e lá o abandonou. O menino foi encontrado por pastores que o chamaram de Édipo, que significa "pés inchados", e levaram-no ao Rei de Corinto que o adotou. Já adolescente, Édipo ouviu do oráculo que mataria seu pai e se casaria com sua mãe. Ele não sabia que era filho adotivo, por isso fugiu para Tebas para evitar a tragédia.

Numa "briga de estrada", acabou matando Laio, sem saber que este era seu pai. Por ter decifrado o Enigma da Esfinge que guardava Tebas, foi pelo seu povo transformado em herói.

Como herói conheceu a rainha Jocasta, casou-se com ela e teve filhos. Foi então que outro oráculo lhe confirmou: Édipo tinha matado seu pai, Laio, e casado com sua mãe, Jocasta.

Sigmund Freud, criador da Psicanálise, eternizou o mito com o **Complexo de Édipo**: competir com o pai pelo amor da mãe.

PAI MENOS EDUCADOR QUE MÃE

O problema da participação do pai na educação dos filhos tem uma origem muito antiga. Falo desse problema, pois o pai faz muita falta no cotidiano da educação.

Não é tão difícil encontrar ex-pais como também não é difícil encontrar filhos procurando seus pais DNA. Pai DNA é o nome que dou ao pai biológico identificado graças aos exames de carga genética.

É interessante observar o comportamento de alguns animais na relação pai-filho. Num grupo de leões, por exemplo, quando um novo chefe vence uma luta, costuma matar os filhotes do leão vencido. Com seus filhotes mortos, as leoas entram no cio e são cobertas pelo novo chefe. Isso significa que elas mantêm o novo DNA mais forte para sua descendência.

Talvez um estudioso do comportamento de leões pudesse pesquisar quais complexos desenvolveriam os leõezinhos contra este "novo marido" da mãe. Querer matar o grande leão talvez nem seja uma disputa de poder, mas uma questão de sobrevivência dos leõezinhos.

Na natureza, a mãe, de modo geral, mata mais seus companheiros sexuais que os seus filhos. O pai, na natureza, também de modo geral, mata mais seus filhos que suas companheiras sexuais. É comum o **homem ser mais macho** do que pai e a mulher mais mãe do que fêmea.

Numa briga entre mãe e filhos, o homem geralmente protege mais a sua companheira que os seus filhos. Numa briga entre pai e filhos, a mulher geralmente protege mais os seus filhos que o seu companheiro.

FAMÍLIA MATRILINEAR

A Antropologia pode ajudar a compreender as diferenças entre pai e mãe. Um estudo do antropólogo Luiz Almeida Marins Filho sobre aborígenes australianos revelou que várias sociedades primitivas eram matrilineares.

Os filhos ficavam com a mãe, que pertencia a um clã. O pai pertencia a outro clã, onde estava a sua própria mãe. Não havia consanguinidade, pois pai e mãe eram de clãs diferentes. Assim, **quem educava o filho** era a família da mãe e o real protetor era o irmão da mãe.

Foi somente com o advento da agricultura na Mesopotâmia, há 12 mil anos, que as sociedades de nômades começaram a tornar-se sedentárias, dando início à civilização urbana, e o modelo de família mudou para o que conhecemos em nossos dias.

Chegamos à conclusão de que as mulheres já tinham muito mais prática em ser mães do que os homem em ser pais quando o modelo de família passou a existir.

O resultado disso é que os homens têm que se desenvolver para a paternidade, e não se colocar à margem da educação dos seus filhos.

CICLO VITAL DA FAMÍLIA

Tudo o que tem vida tem seus estágios. Cada estágio traz também um ciclo com começo, meio e fim. O ser humano, no seu ciclo biológico de vida, nasce, passa pela infância, adolescência, maturidade, senilidade e morre.

A família também tem o seu ciclo vital com quatro estágios, de acordo com estudos de Ceneide M. O. Cerveny e Cristiana M. E. Berthoud[14].

A **fase de aquisição** vai desde a união do casal até a entrada dos filhos na adolescência. É a fase da conquista de segurança, representada pela aquisição da casa própria, planos de saúde e

[14] Luiz Carlos Osorio et al. *Manual de Terapia Familiar*, p. 26.

poupança para os estudos dos filhos, cursos complementares e pelo crescimento profissional.

Na **fase adolescente**, todos adolescem, inclusive o pai, a mãe, ou ambos. Há nessa fase revisão de valores, cuidados com estética, separações, novos casamentos, maior diálogo e trocas entre pais e filhos, com flexibilização e adequação de valores e regras.

A fase mais longa do ciclo vital da família é a **fase madura**, com a saída dos filhos do lar, a entrada dos novos membros da família e a chegada dos netos. Surgem as preocupações com aposentadoria e os cuidados com o envelhecimento. Geralmente a casa fica cheia, mesmo com menos filhos.

Há então a última fase, **pós-aposentadoria**, que aparece como fruto tardio de como a pessoa viveu, com dividendos favoráveis e qualidade de vida ou com prejuízos e consequências que pioram com a longevidade. A casa que deveria ficar mais vazia, hoje ainda conta com adultos jovens e/ou filhos separados em casa.

O conhecimento destas fases ajuda a família a posicionar-se perante os conflitos e decisões do dia a dia. Um mesmo problema pode apresentar soluções diferentes, dependendo da fase de desenvolvimento em que se encontra a família.

FAMÍLIA BRASILEIRA E SUA POSSÍVEL MELHORA

Quais são as características da família brasileira? Conhecer melhor a realidade das famílias no Brasil ajudou-nos na pesquisa dos diversos temas desenvolvidos ao longo deste livro.

Dados da Pesquisa Nacional por Amostra de Domicílios (PNAD)[15], de 2006, revelaram o seguinte:

[15] Luiz Carlos Osorio et al. *Manual de Terapia Familiar*, p. 29.

- no Brasil, 67,6% das famílias têm filhos;
- o número de famílias chefiadas por mulheres aumentou e o número de famílias chefiadas por homens diminuiu;
- a família monoparental feminina (chefiada por uma mulher) é mais prevalente em regiões metropolitanas;
- a média de 3,6 pessoas por família em 1966 baixou para 3,2 pessoas por família em 2006;
- pessoas com mais de 60 anos ocupavam 40% dos domicílios em 2006;
- cerca de 44,5% dos idosos são chefes de família e moram com seus filhos;
- em 89,5% dos divórcios, as mulheres ficaram com os filhos.

Dados complementares do IBGE[16], feitos em 2005:

- entre 2003 e 2005 foram registrados 836 mil casamentos e 103 mil separações;
- mulheres gastam 25,2 horas semanais, em média, com afazeres domésticos além da sua ocupação;
- cerca de 18 milhões de pessoas (10% da população brasileira) tem mais de 60 anos. Em 10 anos, houve um acréscimo de mais de mais de 5 milhões de habitantes com mais de 60 anos e esse aumento deve continuar;
- os idosos ocupados somam 43% do total de homens, contra 20% do total de mulheres;
- cerca de 65,3% dos idosos foram considerados chefes do domicílio.

Pelos dados expostos acima, concluímos que é difícil definir um padrão de família brasileira. O estabelecimento de um padrão único de Família de Alta Performance também é quase impossível. Cada pessoa é única neste planeta, o que faz com que seus relacionamentos sejam também únicos. Cada família recebe as consequências diretas da performance de qualquer um dos seus integrantes.

[16] http://www.ibge.com.br/home/presidencia/noticias/

Entretanto, conhecimentos e bons pensamentos podem melhorar a performance de toda e qualquer família.

FAMÍLIA NUCLEAR E EXPANDIDA

A família nuclear é aquela constituída somente por pais e filhos. A família expandida constitui-se a partir da entrada de genros, noras e outros parentes consanguíneos, como cunhados, primos, sogros, sogras e tios. Fazem parte da família expandida outros parentes por afinidade, como os novos namorados-maridos da mãe ou do pai, mais os filhos dos antigos casamentos de cada um.

A **família monoparental** é formada por somente um dos pais, sem o respectivo cônjuge, mais os filhos. Pode ser chefiada por um homem ou por uma mulher.

Na década passada, segundo o Departamento Intersindical de Estatística e Estudos Socioeconômicos (DIEESE)[17], na cidade de São Paulo havia a seguinte configuração familiar:

Família Nuclear	**58,8%**
Família Expandida	**11,1%**
Família quebrada com chefia feminina	**23,9%**
Família quebrada com chefia masculina	**6,2%**

O termo família quebrada, embora carregue uma conotação negativa, indica apenas que o casal original se separou. Hoje a maioria das famílias com pais que se separaram não está quebrada, mas sim rearranjada ou redesenhada, e até mesmo reinventada. Atualmente usamos o termo família monoparental com

[17] www.dieese.org.br/pof/pof4.xml, (Acesso em fev. 09).

chefia feminina ou masculina. Não é o termo usado que vai melhorar ou piorar o quadro já existente.

PARENTES MAIS QUERIDOS

Pesquisa realizada por Arakcy M. Rodrigues[18], indica que a avó materna, a sogra do pai, é a pessoa mais querida entre todos os membros da família, superada apenas pela própria mãe.

A família nuclear da mãe está presente em 6 entre 10 escolhas. Da família do pai, também a avó é a pessoa mais querida.

Esta é a distribuição da primeira resposta sobre parentes mais queridos:

Avó materna	**21,13%**
Tia materna	**19,91%**
Prima materna	**8,54%**
Avó paterna	**8,04%**
Tio materno	**7,29%**
Tia paterna	**6,03%**
Avô materno	**5,28%**
Primo materno	**4,77%**
Primo paterno	**4,27%**
Avô paterno	**3,52%**
Outros	**5,26%**
Sem resposta	**2,76%**

Estes dados são fundamentais para se compreender a importância dos parentes nos relacionamentos na família expandida.

[18] Arakcy Martins Rodrigues. Indivíduo, Grupo e Sociedade – Estudos de Psicologia Social, Tabela 2, p. 173.

A grande constatação é que a mantenedora afetiva da família continua sendo a mulher.

ORIGEM DA FAMÍLIA NUCLEAR

Segundo antropólogos, um dos marcos da separação entre o homem e os demais primatas foi o advento da família nuclear. Formada por pai, mãe e filhos que vivem juntos, ela se opõe à chamada família estendida, na qual os animais andam em bandos e as relações entre os membros consanguíneos se dão de outras formas.

A mais antiga ossada de família nuclear já identificada[19] data de 4.600 anos. Constava de pai, mãe e filhos de 5 e 9 anos de idade, que estavam enterrados juntos. Suas fraturas sugeriam que foram vítimas de um massacre.

Até meados do século XX, prevalecia entre os antropólogos a ideia de que a família nuclear era uma instituição apenas cultural, consagrada em mitos como Adão e Eva, a primeira das famílias, segundo a Bíblia.

Segundo o biólogo holandês Frans de Waal, um dos maiores primatologistas da atualidade, machos que ficavam perto das fêmeas tinham mais chances de ter relações sexuais com elas (e consequentemente ter mais descendentes) que os machos que apareciam apenas eventualmente.

A **relação estável** ganhou espaço porque, entre humanos, a criação de um filho exige mais tempo do que a de outros primatas. O pai, estando por perto, garantia comida, proteção contra predadores e assegurava a sobrevivência da prole. O instinto familiar é ancestral ao *Homo sapiens*.

[19] http://veja.abril.com.br/101208/p_114.shtml, (Acesso em fev. 09).

ADULTOS E CRIANÇAS: NOVOS DESENHOS FAMILIARES

Um dos novos modelos de família engloba aquele em que o pai é o pai, mas a esposa do pai pode não ser a mãe daqueles filhos. No entanto, raramente a mãe deixa seus filhos com o ex-marido. O modelo mais prevalente é aquele em que a mãe se casa novamente e um novo homem passa a "tomar conta" dos filhos dela.

Agora estamos diante de um novo núcleo familiar: apesar de as crianças terem um homem e uma mulher como responsáveis por elas, o homem não é pai dos filhos da mulher, nem a mulher é mãe dos filhos do homem. A consanguinidade é mista, portanto os **filhos não são mais irmãos de sangue**, mas sim irmãos de criação.

Woddy Allen[20], cineasta e escritor nova-iorquino, separou-se de sua esposa Mia Farrow após um longo casamento e casou-se aos 63 anos, com Soon-Yi Previn, sua filha adotiva, então com apenas 26 anos.

Ainda hoje é muito difícil para um pai viúvo, com filhos pequenos, conseguir ser o provedor da casa e, ao mesmo tempo, atuar como "rainha do lar". Geralmente ele pede a ajuda de parentes ou contrata uma profissional para auxiliá-lo nas tarefas domésticas e nos cuidados com as crianças.

Também não é fácil para uma mãe que se vê sozinha, ou viúva, acostumada ao papel de "rainha do lar", tornar-se a provedora da família. Geralmente busca a ajuda de parentes ou encontra um novo parceiro, que passa a ser o novo provedor.

Para estes novos relacionamentos surgem incontáveis variáveis, conforme as fases das pessoas envolvidas. Por esse motivo, os novos modelos familiares também possuem dife-

[20] http://diversao.uol.com.br/ultnot/2005/11/01/ult32u12508.jhtm, (Acesso em fev. 09).

rentes configurações. Dificilmente se encontram duas famílias expandidas idênticas.

FAMÍLIAS MONOPARENTAIS, MADRASTAS E PADRASTOS

Quando um casal se separa e um dos cônjuges fica com os filhos sem se casar outra vez, passa a formar um núcleo familiar monoparental.

Quando o pai ou a mãe que fica com os filhos casa-se outra vez, passa a constituir um novo núcleo familiar. Seus filhos, no entanto, não possuem vínculos de sangue com o(a) novo(a) cônjuge. Não podem chamá-lo(a) de pai ou de mãe, por maior que seja o afeto existente.

Madrasta, portanto, é a nova companheira ou esposa do pai viúvo ou separado. Padrasto é o equivalente masculino da madrasta. Hoje com os novos casamentos após uma separação ou morte de um dos cônjuges, estas palavras ficaram bastante comuns.

As palavras madrasta e padrasto tinham uma conotação negativa, trazida dos contos infantis, nos quais havia rivalidade e competição entre madrastas e enteadas e entre filhos biológicos e filhos trazidos por um segundo casamento.

Atualmente famílias compostas por pais separados, em que se agregam filhos biológicos e enteados são bem mais comuns. Percebe-se nitidamente que nos conflitos caseiros os **relacionamentos de consanguinidade** levam vantagens sobre os recém adquiridos.

IMPORTANTES CONCEITOS PARA FAMÍLIA DE ALTA PERFORMANCE

Para compreender uma equipe tão complexa como a família, estabeleci alguns critérios de ações e pensamentos para aprender com o passado, solucionar os conflitos existentes, praticar e usufruir no presente a melhor qualidade de vida já construindo o futuro.

Tudo isso faz parte do autoconhecimento de uma família. Qualquer pessoa, família, instituição ou empresa, antes de se lançar em um relacionamento, jogo, tarefa ou aventura, precisa ter autoconhecimento das suas qualidades, defeitos e potencialidades.

Se este livro trata de famílias, por que insistir tanto no mundo corporativo? Porque a família é constituída por pessoas – as mesmas pessoas que estão no mundo corporativo.

MIGRAÇÃO DOS CONHECIMENTOS

Quem me dá base para responder a este questionamento é o palestrante e consultor de organizações nacionais e internacionais Marco Aurélio Ferreira Vianna, através de seu livro *Líder Diamante*.

Tanto Luiz Vellozo Lucas, prefeito de Vitória – ES, quanto Angela Amin, prefeita de Florianópolis – SC, que receberam várias vezes o título de Melhor Prefeito do Brasil, quando entrevistados pelo Marco Aurélio responderam que

> *"...**levaram para a máquina pública** as ferramentas e os processos mais modernos, utilizados nas empresas privadas de ponta."*
>
> *João Havelange respondeu: "Eu trouxe para o futebol (Confederação Brasileira de Futebol – CBF) a minha experiência em processos que usava como presidente de uma empresa privada muito bem-sucedida."*[21]

Daniela Barone Soares, 38 anos, brasileira, é CEO da ONG Impetus Trust, em Londres, que ganhou o Charity Awards em 2008, prêmio equivalente ao Oscar das organizações filantrópicas

[21] Marco Aurélio F. Vianna. *Líder Diamante*: o Sétimo Sentido. A essência dos pensamentos de grandes líderes brasileiros, p. 132 e 133.

inglesas, por sua ideia de "aplicar o jeito de pensar e a visão do mundo corporativo no terceiro setor"[22]. Daniela, economista pela UNICAMP, trabalhou no mercado financeiro em bancos como Citibank, Goldman Sachs e BankBoston.

Um praticante dos conhecimentos adquiridos em uma área (corporativa) pode aplicá-los em outras áreas (administração pública e esportiva). Foi o que aconteceu com os líderes diamante já citados e com Daniela B. Soares, que tiveram Alta Performance.

Esses e outros conhecimentos e conceitos podem ser aplicados na família, para que ela seja também de Alta Performance.

QI E SUCESSO

Cerca de 250.000 estudantes de níveis fundamental e médio foram pesquisados por Lewis Terman, um jovem professor de Psicologia da Universidade de Stanford. Munido de uma subvenção de Commonwealth Foundation, em 1921 ele enviou uma equipe de pesquisadores de campo para escolas da Califórnia.

Cerca de 1.470 alunos apresentavam QI superior a 140, alguns chegando a 200. Este estudo genético de gênios tornou-se um dos mais célebres da história. A vida dessas pessoas foi acompanhada em realizações acadêmicas, casamentos, doenças, saúde psicológica, promoções e mudanças de emprego.

Terman achava que desse grupo sairiam líderes promotores da ciência, arte, política, educação e bem-estar social, mas o que ele concluiu foi que **o QI não garantia** a liderança esperada.

O psicólogo Liam Hudson concluiu em 1960 que o "QI alto de um rapaz pouco importa quando se está diante de outros rapazes inteligentes"[23].

[22] *Época NEGÓCIOS*, Ano 2: 23, jan. 2009, p. 50.
[23] Malcolm Gladwell. *Fora de Série*, p. 80.

O psicólogo Robert Sternberg chamou de *inteligência prática* "saber o que dizer e para quem, saber quando dizê-lo e saber como dizê-lo para se obter o máximo efeito"[24].

A socióloga Annette Lareau[25], da Universidade de Maryland, pesquisou profundamente crianças da terceira série, negras e brancas, de lares de ricos e pobres; cada família recebeu mais de 20 visitas por horas a fio.

Lareau descobriu duas filosofias diferentes de educação: "cultivo orquestrado" e "crescimento natural", enfatizando que uma não é melhor que a outra em termos morais, mas no mercado competitivo, o "cultivo orquestrado" apresenta grandes vantagens.

EDUCAÇÃO ORQUESTRADA E CRESCIMENTO NATURAL

No "cultivo orquestrado", **os pais levavam** seus filhos de uma atividade para outra, perguntavam sobre os professores, treinadores e colegas de time; conversavam e ponderavam sobre vários assuntos; não se limitavam a dar ordens; esperavam que seus filhos manifestassem suas determinações, negociassem seus interesses e questionassem posições de autoridade. Ou seja, constantemente estimulavam seus filhos, com conjuntos de experiências em constante mudança, a trabalhar em equipe, enfrentar ambientes altamente estruturados e lutar por direitos.

No "crescimento natural", as crianças brincavam soltas, inventando jogos de rua com irmãos e amigos do bairro. Os pais sentiam-se intimidados pela autoridade, reagiam passivamente, ficavam em segundo plano e deixavam as crianças crescerem naturalmente. Elas se sentiam com desconfianças e limitações,

[24] Id., p. 96.
[25] Id., p. 100.

apesar de serem menos choronas, mais independentes e criativas na ocupação do seu próprio tempo.

Lewis Terman entrevistou 730 adultos dos 1470 alunos com QI superior a 140 e separou-os em três grupos: Grupo A = 150 adultos (muito sucesso); B = 450 (sucesso mediano) e C = 130 (sem sucesso). Ele interessou-se pelos grupos extremos A e C.

Do grupo A, formado por advogados, médicos, engenheiros e acadêmicos, 100% terminaram a faculdade e 98% fizeram pós-graduação. Suas casas eram cheias de livros com pais que também terminaram faculdades ou tinham feito pós-graduações. Estes viveram o sistema de "cultivo orquestrado".

O grupo C, formado por bombeiros, contadores, vendedores de sapatos e desempregados, terminou o nível médio de estudos, dos quais somente 30% terminaram a faculdade. Suas casas não tinham livros, seus pais ou mães abandonaram a escola antes do 9º ano. Estes foram criados no ambiente de "crescimento natural".

Tais resultados, profundamente perturbadores, revelam uma verdade nua e crua: **quase nenhuma** das crianças geniais, com futuro altamente promissor, da classe social e econômica mais baixa conseguiu destacar-se.

CONCEITOS CORPORATIVOS

Muitos dos conceitos que usamos no mundo corporativo podem ser **aplicados na educação** dos filhos. Refiro-me a conceitos como liderança, meritocracia, hierarquização de prioridades, objetivos e metas, projetos e estratégias de execução, empreendedorismo, espírito de equipe, por exemplo.

Conhecimentos que usamos na gestão de grupos e corporações também são valiosos no dia a dia da vida em família, como os de educação financeira, ética e cidadania, sustentabilidade e tantos outros.

Esses conceitos e tantos outros mais podem com bastante facilidade ser aplicados com muito amor na educação familiar, com as devidas adequações.

Nos capítulos anteriores abordei vários desses conceitos como disciplina, relação de custo-benefício, "não existe nada de graça!", atualização e obsolescência; *feedback* e assim por diante.

É de se esperar que as pessoas do mundo corporativo conheçam bem os conceitos mencionados, mas muitas pessoas podem não ter tanta familiaridade com essas ideias.

Apresento aqui, sem uma precedência ou ordem rígida, conceitos que interessam para a Família de Alta Performance e suas aplicações mais importantes.

POR QUE SE AGRUPAR?

À primeira vista, essa é uma pergunta muito natural. Todo grupo – seja uma empresa, uma escola, uma instituição, uma ONG – têm metas.

Antropologicamente, antes de formar uma família, o ser humano se agrupou sob a linhagem genética da mãe. Era o grupo matrilinear. Aqueles que acreditam no criacionismo defendem que todos os seres humanos foram criados por Deus já prontos, como somos hoje. Os primeiros foram Adão e Eva, que já formavam um casal. Deles vieram os filhos, que tiveram filhos até chegarem aos nossos pais, que nos tiveram. Todas as famílias têm o objetivo de atender os desejos de Deus.

Graças aos antropologistas, que estudam as características socioculturais de grupos humanos através dos tempos, hoje temos conhecimento de alguns comportamentos próprios do homem, como o de formar famílias. Eles seguem as ideias de Charles Darwin, criador da Teoria de Evolução das Espécies.

Os humanos se agruparam **por instinto de sobrevivência**. Seria muito difícil para um ser humano, sozinho, lutar por sua sobrevivência.

Todo o grupo se beneficia do indivíduo mais inteligente, do mais forte, do mais astuto, do mais alto, do mais hábil... Em vez de serem comidos, os integrantes do grupo comiam as feras. Todos podiam dormir seguros enquanto uns ficavam guardando o sono dos outros. O grupo propiciava também qualidade de vida.

QUAL A META FINAL DA FAMÍLIA?

Mas a vida sexual intragrupo provavelmente não era tão permissiva quanto a vontade dos indivíduos desejaria. A vida sexual de quem tinha um (a) companheira(o) era mais constante e satisfatória do que a dos aventureiros. O espírito de família ajudou na sobrevivência e perpetuação da espécie com os seus 4 estágios do ciclo familiar.

Hoje, uma família consanguínea tem filhos que dão um trabalho equivalente aos ancestrais *Homo sapiens* para criá-los. De diferente, existe a evolução da civilização.

Regidas pelos instintos de vida e de morte, queremos ter **qualidade de vida e ser felizes**, evitando sofrimentos, desgastes e doenças. Queremos também realizar algo mais nobre como deixar o mundo melhor (plantar uma árvore), fazer a diferença na civilização (escrever um livro) e desbravar o futuro (ter um filho). Nada como uma família para garantir a realização desses projetos. Na prática, no entanto, as famílias se satisfazem cumprindo objetivos de prazos mais curtos:

- **ganhar dinheiro suficiente para suprir necessidades e garantir um futuro próximo;**
- **formar os filhos para serem vencedores e felizes com suas escolhas;**
- **ter companhia e poder compartilhar e usufruir juntos realizações e sucessos, felicidade e alegrias;**
- **ajudar uns aos outros a superarem os obstáculos, resolverem os problemas e a sobreviver com resiliência aos imponderáveis sofrimentos.**

Não importa quais as metas e objetivos escolhidos. É interessante que todos saibam que temos um rumo a seguir e um local a chegar. A família é um alicerce de riqueza incrível que favorece que cada integrante consiga a sua própria realização pessoal, social e profissional.

ESPÍRITO DE EQUIPE

Num grupo, o espírito de equipe[26] determina que cada integrante saiba qual é a sua atuação no grupo, considerando o todo e colaborando com ideias e sugestões para soluções eficazes e criativas.

Numa família, é importante que todos os integrantes participem dos interesses e prioridades do grupo (como objetivos e meta), mantenham a comunicação transparente e cooperem na execução.

O que seria de um time de futebol com dois atacantes brigando entre si, sabotando o grupo e trocando agressões e insultos durante o jogo? Não há como vencer a partida e muito menos como atingir a meta (ganhar o campeonato).

[26] http://site.suamente.com.br/a-importancia-do-espirito-de-equipe/ (Acesso em jan. 09).

É preciso que o técnico (líder fora do campo) ou o capitão (líder dentro do campo) coloque ordem no time para que todos se empenhem contra o time adversário e não contra seus próprios companheiros. Primeiro vem o interesse do time – ganhar o jogo – e depois os interesses pessoais dos seus jogadores.

Já que não há como um irmão eliminar o outro da família, todos os integrantes dessa equipe têm que ajudar a solucionar os conflitos. É preciso que o **líder da família** seja uma pessoa com competência integradora para gerenciar o conflito.

Brigas entre irmãos sempre existiram e provavelmente continuarão existindo. O erro mais comum dos líderes educativos é buscar a origem da briga. Essa é uma missão impossível. Brigaram? Os briguentos estão errados, apesar de sempre jogarem a culpa um no outro. Parem a briga e vamos continuar a jogar!

A maior lição não está em deixar de brigar, mas sim em saber resolver as brigas. A paz tem que ser construída acima dos conflitos, entre os conflitantes e não por uma ordem superior. A Alta Performance tem que existir apesar das brigas internas.

QUEM É O LÍDER DA EQUIPE FAMILIAR?

O líder da equipe familiar é a pessoa mais capacitada para fazer com que cada integrante da família sinta a sua importância. É aquele capaz de despertar em cada um a disposição para que todos vivam melhor.

Os pais são candidatos naturais a líderes. Uma família com certeza será de Alta Performance se os pais forem líderes íntegros e éticos, forem confiáveis nos atos e nas palavras, tiverem clareza de visão de propósitos, tiverem senso de direção e responsabilidade com o futuro; forem inspiradores para provocar em seus filhos uma grande motivação para atingir os objetivos, souberem comunicar seus sonhos e propósitos para contagiar e encorajar os filhos a serem empreendedores e abertos a mudanças, possuírem os necessários conhecimentos, competências e habilidades para o seu desempenho, amarem e valorizarem os seus filhos acima das causas, administrarem conflitos e trabalharem em sinergia com a equipe.

"Na liderança educadora, além de ensinar, **é preciso cobrar**" diz Marco Aurélio e insiste nesta ideia porque "o Líder Diamante pleno é aquele que tem na família uma aliada"[27] . Para os pais é importante que os filhos sejam estimulados a serem líderes em sua ausência. Uma família não pode parar de funcionar por ausência do líder.

Um filho que já nasceu com a internet no dedos tem que saber mais que seus próprios pais, que são recém-chegados na área. Os filhos podem liderar esse movimento, e os pais podem aprender com eles.

É bom que seja assim, porque o bom líder não quer transformar seus liderados em seguidores, mas sim em praticantes da liderança, para que desenvolvam suas próprias performances.

PROJETOS, PLANEJAMENTO E ESTRATÉGIAS DE EXECUÇÃO

Devaneios e sonhos são pensamentos descompromissados com a realidade, porque no imaginário tudo é permitido. Todos os projetos são excelentes até que sejam colocados no papel. A realidade põe os **pés dos sonhos** no chão.

Existe uma anedota que corre no meio psiquiátrico. Uma pessoa normal sabe que construir castelos no ar não passa de

[27] Marco Aurélio F Vianna. *Líder Diamante*: o Sétimo Sentido. A essência dos pensamentos de grandes líderes brasileiros, p. 98 e 137.

um sonho ou devaneio. O neurótico constrói um castelo no ar. O psicótico mora neste castelo. O psiquiatra cobra o aluguel.

As crianças misturam bastante o imaginário com o real e desenham homens voando em torno do castelo construído no ar. Quando a criança coloca asas nos homens, significa que a realidade concreta entrou no seu pensamento. Mais tarde ela descobre que homens não voam como pássaros.

Um adolescente pode ter a sensação de voar com um ultraleve, de andar no ar suspenso por um paraquedas ou de cair no abismo com um *bungee jump*. Mas ele não tenta voar, andar no ar, nem se jogar no precipício, porque já sabe da inviabilidade real desses sonhos, sabe que não pode morar em castelos construídos no ar.

Um adolescente pode **planejar surfar** num final de semana. Para isso prepara sua prancha, roupas, material de surf, pesquisa quando e onde estão as melhores ondas, como chegar à praia e assim por diante. Ele é capaz de planejar, preparar e executar tudo com prazer sem a ajuda de ninguém.

A mesma estratégia de ação pode ser utilizada para sair-se bem numa prova escolar, esportiva ou num trabalho. A responsabilidade e a disciplina podem ajudar a usufruir o prazer.

Quem não tem projetos, planejamento e estratégias de ação para o seu trabalho, fica à mercê do mercado e não se estabelece. Baixa performance para ele.

MERITOCRACIA

A palavra mérito vem do latim *mereo*, que significa merecer, obter. Meritocracia tem origem híbrida pois *cracia* vem do verbo grego *krateo*, que significa ser forte, poderoso.

Meritocracia é o sistema de recompensa ou promoção fundamentado no mérito pessoal. Tem mérito aquele que é mais trabalhador, mais empenhado, mais inteligente, mais criativo, mais equilibrado emocionalmente e assim por diante. Esse mérito lhe rende mais poder, privilégios ou prêmios.

Numa família, a meritocracia deve ser estimulada, pois essa é a realidade fora de casa. Nenhum profissional consegue vencer uma concorrência fazendo birras ou gritando. Portanto pais que mantêm os privilégios do filho que não os merece estão na contramão da educação saudável. **Premiar quem não merece** desmerece quem tem mérito.

Diante de uma situação como essa, o primeiro pensamento que surge na mente dos filhos é que não vale a pena se empenhar para ter bom desempenho.

Um pai que age desse modo por não querer desagradar um dos filhos, ou pretendendo a equidade entre todos, acaba dando a quem não merece. A família sai prejudicada na sua Alta Performance. Não se premia uma promessa, mas sim uma realização.

Dois filhos adolescentes querem ir à mesma balada no aniversário de um amigo comum. Um merece ir, pois cumpre todos os seus deveres. O outro não merece ir, pois tira notas baixas e contesta tudo o que os pais determinam. O primeiro filho pode ir, o segundo, não. Mesmo que dê trabalho em casa, grite, esperneie, não pode ir.

Quem ganha sem merecer, acaba acreditando que o mundo deve premiá-lo por nada fazer. Se o líder da equipe não tomar atitude, o restante da equipe vai deixar de se esforçar. Cai a performance familiar.

HIERARQUIZAÇÃO DE PRIORIDADES

Hierarquizar é estabelecer prioridades entre o que é importantes, urgentes, necessários e assim por diante. Quando não existe esta hierarquização, perde-se tempo com coisas não tão necessárias nem tão urgentes.

Numa crise financeira, por exemplo, é importante que todos os integrantes da equipe familiar evitem gastos desnecessários, poupem ao máximo e procurem ganhar o máximo de dinheiro.

Os devedores e inadimplentes comprometem tremendamente a performance familiar, pois diminuem o crédito e a confiança dos outros e abaixam a autoestima de todos.

Mesmo as mulheres mais organizadas, ao se preparar para uma festa, costumam deixar a casa numa grande bagunça. Porém recolocam tudo nos seus devidos lugares assim que possível. Elas hierarquizaram as prioridades. Mais importante que deixar a casa em ordem era ficarem lindas para sair. Depois que voltaram, o mais importante era recuperar a ordem.

Entretanto, um garotão que deixa seu quarto sempre bagunçado porque **tem preguiça de arrumar**, ou que diz que para ele está bom assim, é diferente. Para ele a organização do quarto não é prioridade. Há um choque de prioridades entre a mãe ordeira e filho bagunceiro.

Neste choque é importante a interferência do líder da equipe. Provavelmente o líder pleno terá uma visão de 360° para o gerenciamento do conflito e será capaz de dar responsabilidades ao filho.

Faz parte de uma boa performance o aprendizado para estabelecer hierarquias conforme prioridades.

HAPPY HOUR

A tradução ao pé da letra de *happy hour* é "hora feliz", um período após o expediente de trabalho quando as pessoas se reúnem para relaxar, tomar um aperitivo, conversar sem compromisso, aumentar os relacionamentos e estabelecer o networking. Tudo isto repercute bem no trabalho.

Ao sair do trabalho, o homem tem uma densa nuvem negra sobre a cabeça, com trovões, relâmpagos e um temporal pronto para desabar. É como o homem primitivo voltava para sua caverna após um dia de caçada "matar ou morrer", com o cérebro em coma, inundado pelo cortisol, o hormônio do estresse.

Nossos ancestrais podiam sentar-se em volta do fogo e recuperar-se do coma. Hoje, com os aperitivos, os homens acendem a fogueira do estômago no ***happy hour***.

As famílias necessitam também de um *happy hour*, de um momento para relaxar, jogar conversa fora, atualizar as piadas, contar fatos pitorescos e divertir-se, enfim, sem medo de serem felizes. Nesses momentos em que a família se reúne, vale assistir a umas videocassetadas, fazer graça, fofocar sobre o dia, fazer brincadeiras.

Em muitas famílias ainda há o hábito de cada um esperar impaciente, no seu canto, a mãe fazer o jantar. Uma nova atitude para o *happy hour* seria incluir todos na atividade que era exclusiva da mãe, isto é, todos na cozinha, o que acaba virando uma farra! Se a mãe permitir, é claro. Família de Alta Performance não deixa o *happy hour* se transformar em ***tragic hour***, isto é, em hora trágica, com todos os marmanjos atrapalhando na cozinha!

EMPREENDEDORISMO

Empreender vem do latim *imprehendo*, que significa tentar fazer uma tarefa. Hoje empreender significa decidir realizar uma tarefa difícil e trabalhosa.

Empreender não é agir impulsivamente, sem planejamento, sem previsão, sem meta, sem estratégia de ação, de acordo com a intuição e vontade. Os pais podem ensinar uma criança a empreender, levando em consideração os riscos reais presentes nessa atitude.

Pais não serão eternos protetores da criança. Ela cresce, vira adolescente e se afasta dos pais. Um dia terá que se virar sozinha.

Adolescentes saudáveis são os que aprenderam a respeitar o risco e não precisam desafiar a autoestima vivendo perigosamente.

E os verdadeiros líderes são aqueles que formam outros líderes. Para os filhos serem empreendedores, é importante que os pais os auxiliem a desenvolver dentro de si essa competência. Filhos poupados por pais superprotetores geralmente são **folgados esperadores**, e não empreendedores.

Vou dar um exemplo que acontece com frequência. Quando vemos crianças correndo dentro de lojas enquanto os pais fazem compras, sabemos que os interesses dos filhos não estão alinhados com os dos pais. É comum que os pais simplesmente proíbam as crianças de correr. Elas começam a ficar inquietas e a brigar. Os pais perdem a paciência e as põem de castigo: "Fiquem quietos e calados!"

O líder não gerenciou o conflito, apenas impôs sua vontade. Melhor seria se as crianças fossem responsabilizadas e aprendessem a se divertir sem incomodar os outros. Elas que buscassem soluções alternativas: um joguinho de cartas, um quebra-cabeça, um brinquedo eletrônico ou a leitura de uma revista. Seria um estímulo ao empreendedorismo. Programando bem, a performance familiar também se desenvolve.

CONDIÇÃO ECONÔMICA E SITUAÇÃO FINANCEIRA

Nem sempre os filhos compreendem o que é condição econômica e confundem-na com a situação financeira. A economia diz respeito à produção, distribuição e consumo de bens. As finanças são os recursos econômicos disponíveis sob forma de dinheiro.

Uma família precisa ser autossuficiente em economia e finanças num mundo capitalista. Quem não estuda, não investe na sua **economia pessoal** e não adquire conhecimentos não aumenta sua competência profissional.

Um filho que ganha tudo dos pais sem mérito algum acha que está bem de finanças, quando ele ainda é um potencial econômico. O dinheiro está no bolso dele, mas não é dele. Está em dependência financeira.

Se um filho não estuda, é preciso que os pais mudem de atitude com ele. Ou passa a estudar ou receberá somente o suficiente para viver em casa, com comida e roupas básicas, mas sem usufruir da riqueza dos pais com diversão, celular, carro e outras regalias. Isso não é vingança nem castigo, mas uma boa educação para receber somente o que merece.

Há adolescentes que não querem mais estudar, querem trabalhar. Acham que estão bem de finanças com algumas centenas de reais no bolso, pois têm algum dinheiro para gastar como quiserem. Entretanto qual é custo mensal para a manutenção desse adolescente? Alguns milhares de reais? Economicamente, o filho só está aumentando o prejuízo da família, pois ganha menos do que custa. E o pior, não está se preparando para ganhar mais no futuro. Baixíssima performance.

Tudo o que ele ganha deveria passar para os pais para amortizar a dívida com sua manutenção. Mesmo pagando uma parte, sua dívida seria sempre crescente. Ele está na contramão do progresso, construindo castelos no ar.

LIDANDO COM DINHEIRO DESDE A INFÂNCIA

Infelizmente alguns pais deseducam os filhos, dando a eles tudo o que eles querem. Mesmo que nada pese no bolso dos pais agora, qual o preço que futuramente vão pagar por não dar educação financeira aos filhos? Como eles vão aprender a lidar com dinheiro? Já vi filhos que acabam perdendo tudo o que seus pais construíram em sua vida. Aqui vão algumas orientações fundamentais:

a. **Ensine a criança a não usar o dinheiro que não seja dela, mesmo que esteja com ela. O dinheiro do lanche não pode ser gasto com figurinhas. Isso será um desvio de verbas.**
b. **Estabeleça uma quantia semanal para figurinhas e extras (revistinhas, balas, bexigas ou sorvetes). Ensine a conferir o troco. Se a criança não souber mexer com dinheiro, ainda não está pronta para andar com ele.**
c. **Determine o que pode ser gasto mensalmente, semanalmente ou diariamente. Livros são investimentos dos pais em educação.**
d. **Ensine o que é consumir e o que é investir. Consumir é usar uma vez só, por exemplo, ou usar e estragar no dia seguinte. Investir é comprar algo que vai durar e que poderá ser usado várias vezes. Portanto o cuidado tem que ser maior.**
e. **Crianças que vivem pedindo vales ainda não têm idade para receber mesada. Uma criança só consegue entender o período de uma semana, porque a referência é o final de semana. Também não se deve aumentar a mesada só porque a criança gastou mais do que podia gastar.**
f. **Dê uma carteirinha com moedeira para que a criança possa tomar conta do seu dinheiro. O dinheiro tem que ser bem cuidado, não pode ficar jogado no bolso ou na bolsa misturado a outras coisas. Muito menos se pode misturar dinheiro com comida, pois o dinheiro, mesmo não estando sujo, é contaminado.**

g. **Ensine desde logo que a criança é dona do dinheiro e não o contrário. O valor da criança não está no dinheiro, mas no que ela consegue fazer com ele.**

VISÃO DE 360 GRAUS

Ter visão de 360 graus significa ter capacidade de enxergar muito além da tarefa e do conflito que se coloca em determinado momento.

Quando um filho pede aos pais para experimentar drogas, cabe a eles dar uma resposta de 360 graus! Não se trata de dar uma aula ou palestra sobre drogas para o filho, mas é importante que pais e filhos procurarem juntos o maior número de respostas possível.

Qual a motivação do adolescente? O filho quer experimentar por mera curiosidade, porque todos os amigos usam, segundo ele afirma? Os pais, por outro lado, temem que o filho se torne um viciado.

O risco de se tornar viciado realmente é muito grande. Cerca de 9% dos que experimentam a droga não conseguem interromper seu uso, e efeitos negativos do consumo de maconha incluem ataques de pânico, paranoia e sintomas psicóticos.[28]

Numa experiência prazerosa, o cérebro, pelo seu circuito de recompensa, faz com que o a pessoa repita o uso.

Nem tudo que **é gostoso é bom**. Sabor é uma sensação subjetiva. Bom ou não é um critério racional baseado em resultados científicos.

Qual o efeito da maconha para a família do usuário? Se a família é uma equipe, como ficam os pais nos seus trabalhos

[28] http://www1.folha.uol.com.br/folha/mundo/ult94u97324.shtml (Acesso em fev. 09).

com um filho se drogando em casa? Como ficam seus estudos? Quem realmente saiu lucrando com a maconha, a não ser os traficantes? Qual a empresa que pagaria um funcionário para fumar maconha no serviço?

O que diferencia uma pessoa experiente (o pai ou a mãe) de uma pessoa inexperiente (o filho) é esta visão de 360° que um adolescente não tem.

Se os pais não têm os conhecimentos necessários, podem pedir ajuda a quem os tenha. Estarão passando aos filhos a importante lição de que "quem não sabe, pergunta, mas não faz de qualquer jeito"! Caso contrário, as respostas inexatas que os pais derem vão fazer parte das certezas futuras dos filhos.

Quando um filho pergunta, ele já tem noção da resposta. Melhor os pais saberem primeiro o que ele pensa para depois complementar o que for preciso.

RESPONSABILIDADE E COMPROMISSO FUNCIONAIS

Além do espírito de equipe e da visão de 360°, é importante que cada integrante da equipe conheça quais são as atribuições, responsabilidades e compromissos inerentes à sua função.

Em uma equipe familiar, existem diferentes papéis e funções. A cada integrante cabe uma performance específica, que tem que ser exercitada para poder corresponder quando solicitada. A performance familiar depende de cada membro da equipe.

Nem todos os filhos recebem comunicações diretas sobre suas funções. Se eles não as conhecerem, como podem cumpri-las?

Não é boa performance um bebê estapear alguém. Se agir dessa forma, deve ser impedido e ensinado a fazer carinho. O bebê não bate para agredir, mas para fazer graça. De uma criança, espera-se que vá para escola e que brinque saudavelmente.

Do adolescente, espera-se que vá para escola, faça esporte, estude em casa, aprenda a se cuidar sem depender de outros adultos, que não use drogas, que não engravide, que respeite as normas familiares etc.

Não se espera que os pais durmam ou mamem no lugar das crianças, tampouco que desempenhem as funções dos seus adolescentes. Cabe aos pais acompanhar de perto as atividades mais importantes para a formação pessoal e profissional dos filhos. **Cobrar obrigações feitas** é fundamental para desenvolver responsabilidades e disciplina.

Para ter filhos basta ser biologicamente fértil, mas para educá-los é preciso construir a performance de educador. Isso se faz priorizando a educação, lendo livros e artigos especializados, participando de palestras e trocando experiências com outros pais.

O que se espera de Família de Alta Performance é que cada um dos seus integrantes faça e pense o melhor para si, para a família e para a sociedade.

SUSTENTABILIDADE

Sustentabilidade é um termo relativamente novo. Os terráqueos exageraram no mau uso do planeta, que começou a diminuir sua capacidade de manter a nossa vida. Sustentabilidade significa preservar, ou prejudicar o menos possível o equilíbrio existente entre o meio ambiente e as comunidades humanas.

Se um adulto sabe que a sua alimentação está lhe prejudicando a saúde, ela não está sustentando sua vida, mas sim o seu "problema".

Se uma pessoa, para emagrecer, começar a ingerir menos calorias do que queima por dia, além de emagrecer, pode estar se desnutrindo. O corpo então produz calorias queimando músculos. Quando queima os músculos do coração, ela pode sofrer morte súbita. Ela está diminuindo a sustentabilidade da sua vida, mesmo trabalhando tanto pela saúde.

Se um adolescente só come batata frita, doces, pão, arroz, pouquíssima proteína, sais minerais e vitaminas, ele poderá desenvolver diabetes tipo 2. Ele está diminuindo a sua sustentabilidade.

Comportamentos inadequados, violentos, destrutivos, retrógrados de qualquer integrante da equipe familiar podem prejudicar a família, que deixa de ser uma fonte saudável e renovável de vida.

Uma família que não investe no preparo dos seus filhos para boa performance profissional, ou que permite que um filho deixe de estudar, está **condenando a sua sustentabilidade**. Não há herança que resista a quem não tenha boa performance administrativa.

Velhos colhem frutos tardios em sua vida. Ter uma moradia para receber seus netos sem pesar no orçamento de seus próprios filhos é fruto de uma vida com sustentabilidade. Esta é uma Alta Performance na velhice.

CIDADANIA FAMILIAR

A família é um tipo específico de comunidade, cujo núcleo é o lar. Cada um dos seus integrantes tem seus direitos e deveres. Os pais são provedores e educadores e os filhos, seus dependentes a caminho da independência.

Esta é uma missão quase divina, pois os pais partem do nada para construir cidadãos do mundo. As crianças herdam dos pais a língua, o sustento, a cultura, a ética. Os pais têm um prazo para esta construção, que é curto para eles, mas longo para os filhos.

Há dois tipos básicos de formação: educação orquestrada e crescimento natural. Entre os dois, há uma gama imensa de composições.

A cidadania familiar é uma prática pela qual nenhum integrante pode fazer em casa o que não deverá fazer na sociedade e tem que praticar em casa o que deve fazer fora de casa. A educação orquestrada tem mais cidadania familiar do que o crescimento natural.

Uma criança deve aprender que a brincadeira somente acaba quando ela guardar os brinquedos e deixar o local tão arrumado quanto estava, para outras pessoas poderem usá-lo.

Isso inclui deixar a **casa em ordem** para, quando a mamãe chegar, não precisar arrumar a bagunça que os filhos deixaram.

Uma criança deve guardar seus brinquedos, assim como qualquer um de nós deve deixar o banheiro limpo depois de usá-lo.

No crescimento natural, a criança que não é educada desenvolve menos competência profissional e futuramente vai pagar caro este *carpe diem* atual.

QUEM NÃO CUMPRE A SUA PARTE

Ninguém deve prometer o que não pode cumprir, pois a equipe conta com o prometido. Esta falha prejudica toda a equipe.

Pode parecer a um adolescente que não estudar não esteja prejudicando ninguém, porque "a vida é sua e ele faz o que quiser com ela". A vida não é só dele, pertence também aos que o amam. O existir sozinho não faz parte da vida humana. Qualquer adulto sabe que para nascer, crescer e até adquirir sua independência precisou de pais ou substitutos.

É quase natural da adolescência dizer que a vida é sua e generalizar o mundo a partir de um ponto que ele conhece. Chama-se onipotência juvenil.

Não é o fato de um filho entrar num restaurante e escolher sozinho o que quer comer que faz dele alguém totalmente independente. Quem vai pagar o almoço? O filho deveria ter sido educado a agradecer pelo que recebe.

Crianças que se recusam a fazer o que os pais solicitam estão mal educadas. Pais que consentem, estão estimulando a má educação, e não uma boa performance.

A falha está nos pais, que não exigiram que elas fizessem suas obrigações. Elas crescem prepotentes e interesseiras, sem espírito de cooperação.

Sempre é tempo de cada integrante da família aprender qual é a sua parte. O líder ou a família também deve exigir que o faça. Essa exigência faz parte do amor, **pois o amor exige**. Amor que é pura dádiva não educa.

Um dos fortes alimentos da autoestima é a sensação de ser útil a alguém. Alta Performance também se ensina.

DISCIPLINA É COMPETÊNCIA REALIZADORA

Nada é pior para a performance pessoal do que a falta de disciplina. Eugenio Mussak é um grande especialista nesse assunto:

> *Ter disciplina pessoal significa decidir o que precisa ser feito e fazer... não pode depender da vontade daquele momento... tem que depender da decisão ... porque vontade é emocional... decisão é racional... o comandante deve ser o racional pois é ele que tem o discernimento sobre o que é bom e o que não é bom... emocional só sabe diferenciar o agradável do desagradável... e isso não serve para grandes decisões.*[29]

[29] Eugenio Mussak. *Caminhos da Mudança*, p. 80.

A falta de disciplina pode existir também pela falta de educação. Os pais e as escolas prejudicaram a formação da disciplina com sua tolerância e poucas exigências. É como se não tivessem exercitado os **músculos da disciplina** que, sem treino, tornaram-se fracos e pouco resistentes às exigências do dia a dia.

A educação do sim[30] resulta em um excesso de permissividade, transformando músculos em gorduras que não aguentam arcar com responsabilidades sem desmanchar.

São os "parafusos de geleia"[31] jovens que "espanam" diante de uma solicitação mais consistente. Não suportam os apertões da vida, como ter que estudar, ser contrariado, resistir a um ritmo de trabalho, suportar uma competição etc.

Para exercer cidadania é preciso disciplina, tão necessária também para os pais educarem seus filhos sabendo que é esse um investimento de longo prazo. Disciplina é o cimento na construção da Alta Performance.

IMPUNIDADE AO NÃO USO DA ÉTICA

Os pais podem saber o quanto desviar verbas não é ético. Muitos não desviariam se houvesse maior vigilância e controle.

Vou dar um exemplo simples. Zezinho não sabia que feriu a ética ao gastar o dinheiro do lanche comprando figurinhas. Os pais talvez nem percebessem que houve um **desvio de verbas doméstico**. Zezinho falhou na responsabilidade de usar dinheiro que não era dele e que, portanto, não poderia gastar a não ser com o lanche.

Os pais atentos não permitem que aconteça em casa o que não pode ser feito fora de casa. É a construção da cidadania

[30] Veja no livro *Quem Ama, Educa!* Formando cidadãos éticos, p. 70.
[31] Veja no livro *Quem Ama, Educa!* Formando cidadãos éticos, p. 73.

ética. Muitas vezes falta, na educação familiar, ressaltar a importância da ética no comportamento de todos.

A tendência natural é tentar se safar, usando a mentira, o que agrava a falta de ética. A transparência é um dos requisitos da Alta Performance.

Para quem tem a prática da ética, a transparência é uma das maiores virtudes. A verdade tem mais valor que sair ileso de uma transgressão com base em uma mentira. A conduta ética traz mais autoconfiança e a transparência melhora a autoestima, levando à Alta Performance.

ÉTICA: UMA QUESTÃO DE EDUCAÇÃO

Mesmo que seja pouco usada, a lei pune as pessoas que não usam ética nos seus comportamentos e nas suas ações, privando-as da liberdade ou multando. Mas ao menor nada acontece e são os pais os punidos.

Para a educação do filho, pouca serventia tem castigar seus responsáveis, fazendo-os pagar multas e cestas básicas. O que o filho aprende com isso? Nada, pois a ele nada lhe custou.

O que realmente ensina a ética a um filho é o assumir as consequências dos seus atos. Simplesmente castigar (surrar, tomar de volta o que já foi dado) não educa e não desenvolve a ética.

Perdoar, fingir que não percebeu, poupar etc. não ajudam na educação dos filhos. **A impunidade deseduca**, por maior amor que haja. Na educação combina-se a consequência.

Há alguns anos, em Curitiba, dois rapazes estavam lavando orelhões pichados, sob a vigilância de dois guardas. A autoridade legal fez os rapazes lavarem com as suas próprias mãos o que eles sujaram. Isso se chama ensinar as consequências. Os rapazes devem ter aprendido o trabalho que dá arrumar o estrago que fizeram.

Quem faz pichações não pode contar o que faz, portanto não tem Alta Performance.

ÉTICA TEM QUE SER DESENVOLVIDA EM CASA

Consequência significa arcar com recursos próprios os prejuízos provocados. Se alguém estragou algo com as mãos, é com elas que terá que consertar.

Quebrou, tem que consertar. Não consegue arrumar com as próprias mãos? Com sua mesada pague a alguém para fazer por ele. Se não tiver mesada, pague com serviços caseiros.

Não fez a lição? Está proibido de fazer qualquer outra atividade enquanto não terminar a lição. Ninguém morre de fome por perder uma refeição. Não vai dormir enquanto não terminar. Se dormir, vai ser acordado. Não tem que deixar para depois. Esta é a consequência do que ele mesmo provocou.

Estava fazendo birra na loja de brinquedos? A mãe ou o pai devem sair da loja sem comprar nada, sem conversar com o birrento. Simplesmente devem dar as costas e sair da loja rapidamente.

Há pais que desanimam e aceitam a birra, por achar que o filho não tem jeito mesmo, ou que ele sempre consegue o que quer. Essa atitude alimenta a transgressão e faz com que os pais percam a autoridade educativa.

Quem consegue um **resultado usando birra** não tem Alta Performance, pois está tiranizando quem a ela se submete. Boa performance tem sustentabilidade. Com birra não se conseguirá aumento de salário nem promoções.

ENSINANDO ÉTICA AO BEBÊ

Não fiquemos desesperados se não conseguirmos controlar tudo o que um bebê faz. Isso seria simplesmente impossível e um desgaste absolutamente desnecessário. Mas nem por isso vamos deixar de ensinar um bebê que há ações que ele não pode fazer.

O bebê tem que aprender a praticar o significado da palavra não[32]. Se a mãe leva um soquinho do bebê no seu rosto, deve dizer "não" para que o bebê não lhe bata no rosto, mesmo que tenha que segurar firmemente o bracinho dele.

Se o bebê não sabe, então ensine a ele como fazer carinho, passando a mão no rosto e não batendo de volta. Não permita que faça errado outra vez. Tal permissão desautoriza o "não" já aprendido.

Os pais devem escolher criteriosamente qual o não que deve valer. Um filho **não atende uma proibição** quando os próprios pais não a cumprem.

Raros são os "nãos" a que o filho obedece. Que baixa performance tem as mamães com os seus "nãos" aos seus filhos! Já vi e ouvi mães respondendo não automaticamente, sem saber o que estavam negando. Se uma mãe ordena, todos à sua volta têm que obedecer. Isso vale também para o pai, os avós, seja quem for.

Quando a mãe diz não e o pai diz sim, atrapalha o aprendizado do filho. Numa casa onde o pai diz vinho e a mãe diz água, o filho desanda! Um filho desandado reduz a performance familiar.

ENGANOS EDUCATIVOS DOS PAIS

Um grande engano dos pais é repetir o mesmo ensinamento várias vezes. A maioria dos filhos faz o que não é permitido não

[32] Veja no livro: *Quem Ama, Educa!* Formando cidadãos éticos, o subtítulo Desperdício do "não", p. 257.

por desconhecimento, mas por desrespeito ao que foi ensinado. Uma queixa bastante comum das mães é que os filhos não lhe obedecem, mas obedecem ao pai.

Observei muitas mães "mandando" um filho parar com o que estava fazendo. Mas eram súplicas, e não ordens. Depois da "ordem-súplica" a mãe continuava olhando para o filho e esse olhar acabava permitindo que o filho lhe retrucasse. Diante disso, o que faz uma criança? Implora, insiste, contra-argumenta, faz birra, grita, chora, esperneia, se joga no chão, enfim, faz o diabo para que a mãe volte atrás na sua ordem. Se a mãe continuar olhando, esse olhar funciona como um desafio a ser vencido pelo filho.

Se o filho continua insistindo é porque está acatando a ordem que a mãe deu, mas está tentando demovê-la. Se não tivesse acatado, o filho continuaria ignorando tudo. A insistência da mãe em dizer não fortalece o filho a continuar na sua luta.

A mãe não deve dizer nada. Deve levantar-se e sair do campo do olhar do filho, como quem diz: não vou ouvi-lo, portanto trate de obedecer. Zero de performance para a mãe que repete a ordem.

PAIS FINANCIANDO A MÁ EDUCAÇÃO

Há uma tendência atual dos pais a cobrar da escola a educação dos filhos. Isso nada mais é do que resultado da falta de conhecimento e do comodismo dos pais.

Para os pais, filhos são para sempre. Para a escola, os alunos são transeuntes curriculares. As consequências recaem principalmente sobre a família.

Os **alunos melhoram muito** sua performance escolar quando seus pais acompanham sua vida de estudantes. A escola tem 30% e os pais 70% de responsabilidade pelo rendimento escolar dos estudantes.

O professor tem sua parcela de responsabilidade, mas existem muitos outros fatores que prejudicam os alunos: conflitos familiares, falta de estrutura e estímulo para os filhos estudarem em casa, pais sem instrução que não conseguem valorizar estudos, pais alcoólatras, miserabilidade etc.

Como nem todos os pais têm iniciativa ou condições próprias para acompanhar a vida escolar dos filhos, eles teriam melhor performance se participassem na Associação de Pais e Mestres (APM) da escola dos filhos.

Caso não exista uma associação desse tipo na escola do seu filho, esta pode ser uma grande motivação para iniciar uma. Um grupo de pais tem mais força e ação perante a escola e principalmente perante os filhos do que pais isolados.

ENFRENTANDO A LAMBANÇA QUE O FILHO APRONTA

Uma ordem tem que vir com voz, olhar e atitude imperativa. Ordem dada, o ordenador sai de cena para não permitir nenhuma contestação. O filho precisa sentir na pele que a proibição é para valer e que **retrucar não será admitido**. Se o filho correr atrás da mãe para embirrar, a mãe deve cortar: Agora chega! Encontre outra coisa para fazer!

Passada a lambança, com os ânimos acalmados, a mãe deve fornecer uma única razão para a proibição e combinar uma consequência para o não cumprimento da ordem. Isso quer dizer que, se o filho repetir a lambança, perderá algo que será combinado neste momento. E não haverá mais explicações, só aplicações.

Depois é só a mãe cumprir a sua parte. O filho aprenderá que há ações que, mesmo podendo ocorrer, não valem a pena.

É de bom senso familiar que na lambança que o filho está aprontando ninguém deve interferir, mesmo a pedido da criança. Avós, tios, madrinhas, seja quem for, geralmente acabam atrapalhando, pois mais agradam ao transgressor que à educadora.

Quem não concordar que faça diferente em sua própria casa. Isso é importante, pois mostra ao filho que há lugares mais permissivos, como a casa dos avós, por exemplo, do que sua própria casa.

Filhos que respeitam os lugares que frequentam são mais felizes e éticos do que os vivem fazendo o que querem. E a Alta Performance volta a reinar na casa.

VANTAGENS DE QUEM CHEGA PRIMEIRO

Por mais que sejam dos mesmos pais, filhos são diferentes entre si, além das diferenças naturais de idade e de gênero. Portanto erram os pais que dão o mesmo tratamento para filhos diferentes.

Quando o primeiro filho, ao nascer, abre os olhos, vê um mundo receptivo. É um rei com muitos súditos adultos à sua disposição para servi-lo.

Quando nasce o segundo filho, naquele ambiente já reina uma criança que o recebe com discreta desconfiança ou uma grande hostilidade. Quando o bebê abre os olhos, ele vê e sente um **dedinho entrando nos seus olhos**. Como pode ser a visão de mundo desse filho?

Além dessas diferenças existem as tendências naturais das crianças. Na grande maioria, elas nascem com um potencial de desenvolvimento das habilidades. Quando uma habilidade é muito grande dizemos que a pessoa tem talento, nasceu com o dom ou simplesmente tem aptidão.

Entre os 25 melhores jogadores de hóquei do *Medicine Hat Tigers*, em 2007, os nascidos no primeiro trimestre do ano foram 14, no segundo, foram 6, no terceiro foram 3 e no último, foram 2.[33] Malcolm Gladwell demonstra que os melhores jogadores são os mais velhos da turma. Em locais onde as escolhas ocorrem ainda na infância, os que nasceram em janeiro são em número maior, se os limites estabelecidos forem por ano de nascimento. Se jogarem no mesmo time, será escolhido o mais velho, que **sobressai** perante os demais.

O escolhido receberá todos os estímulos, facilidades e treinos que o menor não receberá. Com dez mil horas de prática, qualquer pessoa normal pode se tornar um expert, uma pessoa da Alta Performance, em qualquer especialidade. (ver p. 126)

RELACIONAMENTOS ENTRE IRMÃOS

Para o mundo corporativo pouca diferença faz se o funcionário é ou não um primogênito. Teoricamente todos eles são iguais e absorvidos conforme suas competências e produtividade.

Para a lei, a ordem do nascimento também não interfere nos direitos iguais que todos têm entre si, inclusive os filhos DNA e adotivos. Mas pode haver grandes diferenças dentro de casa.

Os irmãos pequenos reclamam que os maiores podem fazer tudo e eles, nada. Os maiores reclamam que os menores sempre levam mais vantagens que eles, são mais protegidos, os queridinhos dos pais etc. Reclamações à parte, nunca nenhum filho vai receber tanta atenção e ter pais tão inexperientes quanto o primogênito.

A **relação do primogênito** com seus irmãos, na ausência dos pais, geralmente imita a relação que os pais têm com ele. Se os pais forem despóticos, o primogênito também o será com

[33] Malcolm Gladwel. *Fora de Série*, p. 26-27.

seus irmãos. David Servan-Schreiber dá um depoimento tocante de um primogênito:

> *Eu nasci primogênito de um primogênito. Mal saído do ventre da minha mãe, me retiraram de seus braços e de seu seio, julgados insuficientes, para me confiar ao berçário, às puericultoras e ao leite artificial, considerados "mais modernos". Tudo isso parecia mais apto a proteger aquela criança que iria garantir a perenidade da linhagem familiar.*[34]

FEEDBACKS EDUCATIVOS

Feed significa alimento e *back*, retornar. Portanto, *feedback* é retroalimentação de sentimentos e pensamentos.

Os pais educadores têm que dar *feedback* para as ações dos filhos. Antes, os *feedbacks* eram mais para criticar os erros.

Hoje dar *feedback* significa **dizer ao filho** o que o pai sente em relação ao que o filho fez ou está fazendo. Portanto o *feedback* é uma expressão dos seus sentimentos e não uma crítica ao filho, como no passado recente. Através do *feedback* dos pais os filhos aprendem a lidar com as sensações que estão provocando em outras pessoas.

Estes *feedbacks*, feitos com gentileza e amor, permitem que os filhos se reorganizem, se reposicionem e fiquem atentos para conseguir melhores resultados relacionais. Os *feedbacks* são muito educativos. Permitem aos filhos ir além das palavras para chegar à emoção, percebendo o não falado.

Onde existe o *feedback*, a performance relacional melhora muito.

[34] David Servan-Schreiber. *Anticâncer:* prevenir e vencer usando nossas defesas naturais, as emoções reprimidas, p. 165.

FAÇA O FILHO FAZER!

A maior realização da mãe é ver que o nenê está bem, e para isso cuida não só do corpinho dele, mas também de todo o território onde ele vive. Cuida do berço, do ambiente, da comidinha, da roupa, de tudo.

A mãe parece esquecer que nenês viram gente grande. Então permanece fazendo tudo.... O adolescente é o "menino" dela, e o adulto, quando adoece, vira nenê também. Ela o traz para o colo, dizendo: Vem cá, meu nenê, que eu cuido de você!

É preciso que essa mãe delegue poder aos filhos. Eles que comecem a fazer tudo o que conseguirem. O primeiro passo é pedir aos filhos que a ajudem. Quanto mais eles ajudarem mais preparados estarão para fazer também para si o que precisarem. Para tanto, a mãe terá que deixar de fazer pelos filhos e exigir que eles mesmos façam. Não que ela não tenha competência, mas os filhos precisam desenvolver a deles.

Debaixo de um ser folgado tem sempre um ser sufocado. Não há razões para a mãe ser uma eterna sufocada. A sufocada é que **constrói** o folgado. Ela também deve deixar de se submeter ao folgado. Alta Performance é essencialmente pensar e fazer o melhor possível. E só se aprende a fazer fazendo!

PAI É PAI E NÃO AJUDANTE DA MÃE

Paternidade é uma função própria do pai, com direitos e obrigações familiares importantes. Pai não é coadjuvante da mãe, é seu complementar.

A mãe costuma pedir ajuda ao pai: Ajude aqui, por favor, fique um pouco com as crianças! Ele acha que está apenas ajudando a mãe e não se sente fazendo a sua parte. Muitos pais nada fazem enquanto suas mulheres não pedem.

Para os filhos não interessa se é a mãe que está muito ativa ou se o pai é muito passivo. O que eles precisam é de pai e de mãe. Neste ponto, alguns pais reclamam que suas mulheres os tratam como se fossem filhos.

Paternidade é a atitude de estar pronto a atender seus filhos, sem esperar que a mãe peça.

Um pai acomodado, além de não ser um bom exemplo na família, estimula o filho a explorar a mãe. Numa família assim pode se estabelecer uma confusão entre pai acomodado/pai bonzinho e mãe ativa/mãe rabugenta – quando na realidade o pai é negligente e a mãe ativa é obrigada a cobrar as obrigações de todos.

Fica muito clara esta situação quando uma mãe reclama que ela é a *pãe* da família. Ela tenta preencher também as funções de pai, o que é quase impossível.

Há muitos homens, no entanto, que já assumem bem mais seu papel. Muito longe de querer substituir a mãe, eles querem **tomar parte na educação** do filho. Reparei em um passageiro que, em pleno voo, trocava as fraldas de seu bebê, que deveria ter um ano de idade. A mãe não estava presente.

Um bebê cuidado pela mãe e pelo pai cresce com menos preconceitos e com menos machismo. Aquela família parece estar desenvolvendo a Alta Performance.

COMO DEZ MIL HORAS CONSTROEM ALTA PERFORMANCE

Malcolm Gladwell faz um questionamento bastante instigante para todos os pais. Por que algumas pessoas têm sucesso e outras não? Ele revela o segredo: bastam dez mil horas de prática para se adquirir excelência em qualquer atividade[35].

[35] Malcolm Gladwell. *Fora de Série:* De Mozart a Bill Gates, passando pelos Beatles.

Mozart produziu suas maiores obras após 20 anos de prática. Quando os Beatles estouraram, em 1964, já tinham feito cerca de 1.200 apresentações ao vivo. Só em Hamburgo, em um ano e meio, eles tocaram 270 noites. Bill Gates, quando deixou Harvard para fundar sua própria empresa de software, já tinha ultrapassado bastante as dez mil horas.

O que aconteceu com as pessoas que aniquilaram seus talentos, dons, aptidões, habilidades? Por alguma razão não completaram dez mil horas. Por falta de motivação, de disciplina, pelo uso de drogas, por casamentos malsucedidos, ou por causa de gravidez precoce, problemas de saúde, depressão?

Realmente, dez mil horas é bastante tempo. Conforme Gladwell, isso equivale a 3 horas por dia de prática durante 10 anos.

A grande maioria dos filhos de hoje se dedica ao que gosta apenas durante um curto período. Dificilmente perseveram numa atividade que começa a exigir empenho, superação de dificuldades, sacrifícios extras... Com a mesma facilidade com que iniciam uma atividade, abandonam-na para correr atrás de outro sonho. Estão cheios de iniciativas, mas nada de "acabativas"!

Quanto tempo de trabalho foi gasto para um pai chegar ao sucesso que tem? Esta experiência é o seu mérito. Não se pode **passar o mérito por herança** para ninguém. É preciso que cada filho construa o seu mérito. Ninguém faz sucesso sem mérito.

FAZER E MANTER AMIGOS

Amizade é um sentimento fiel de afeição, simpatia, estima ou ternura entre pessoas que geralmente não são ligadas por laços de família ou por atração sexual. É uma manifestação de amor.

Amigos são de livre escolha mútua. Amizade não se impõe, ela se desenvolve entre duas ou mais pessoas criando um vínculo forte, baseado em intenso sentimento afetivo do bem-querer, **desinteressado materialmente** nas condições étnicas, culturais, financeiras, sociais, religiosas, profissionais, visando única e exclusivamente o bem-estar através do ajudar, estar junto, compartilhar alegrias e sofrimentos, comemorações e preocupações.

Verdadeiras amizades sempre enriquecem as performances, pois ninguém é sozinho neste mundo. Para ter amizade é preciso ter saúde relacional numa convivência desinteressada de ganho, mas que resulta num ganha-ganha.

Quem tem comprometimento psiquiátrico (depressões, esquizofrenias químico-dependentes, autismo etc.), personalidade muito interesseira ou puramente egoísta, não consegue fazer e muito menos manter amigos. Suas performances relacionais são praticamente nulas em amizade, pois as que se mantêm ficam graças aos seus familiares.

AMIZADE INFANTIL

Em todos os locais onde se juntam crianças, o que rege a aproximação delas é a empatia ou afinidade de um interesse comum, como tipo de brincadeira, diversão, esporte, desenho etc. Quando juntas nessas escolhas, elas sentem o coleguismo, e finalmente a amizade.

Estes locais são **escolhidos pelos pais**: escola, parquinhos, clubes etc., pois as crianças são suas dependentes naturais. Quando os pais se afastam do local, as crianças interrompem seus relacionamentos. Mas a manutenção do relacionamento delas também depende dos pais. Estes podem ajudar as crianças até o coleguismo de frequentar o mesmo ambiente. Porém a escolha da amizade depende delas, e mais ainda a manutenção dessa amizade. Ninguém quer ficar amiga da criança muito chata, egoísta, que impõe somente a sua vontade ou bate nas outras.

Do ambiente, a criança pode trazer piolho, que os pais devem combater. Assim, também ela pode vir com "piolhos e contágios" comportamentais, que são inadequados à educação que os pais estão dando. Crianças trazem para casa comportamentos que pegaram alhures.

Os pais têm que corrigi-los para não prejudicar a performance familiar.

AMIZADE DE ADOLESCENTES

Não se educam crianças e adolescentes da mesma maneira. Os filhos são os mesmos, mas em etapas de vida diferentes, eles também serão diferentes.

Nada é mais sagrado aos adolescentes do que eles próprios escolherem seus amigos. A adolescência é um segundo parto, um nascer da família para entrar na sociedade com as próprias pernas. O adolescente que não consegue ter e manter amigos sofre muito, pois é essencial tê-los.

Coleguismo é um sentimento que existe entre pessoas, mas as atividades entre colegas são mais importantes do que eles mesmos. Mudam-se os colegas, mas as atividades permanecem. Por outro lado, na amizade, as pessoas são mais importantes que as atividades: mudam-se as atividades, mas a amizade permanece.

Assim, os pais podem mudar de bairro, de país, de clube, mas os amigos dão um jeito de se encontrarem, presencial ou virtualmente. Eles já não dependem mais de onde os pais estão. Agora os **piolhos e contágios comportamentais** são mais sérios, pois os adolescentes não querem mudar seu jeito em casa. Os pais não podem, nem devem, perder a autoridade educacional para não prejudicar a performance familiar.

Existem comportamentos inaceitáveis como o uso de drogas, as transgressões legais, o não cumprimento dos deveres sociais e escolares etc. Como funcionaria um time de futebol com um dos jogadores parado num canto fumando maconha? Ou cometendo pênaltis a todo instante?

AMIZADE E EXCITAÇÃO SEXUAL

Uma atração sexual pode surgir à primeira vista. Se a mulher estiver ovulando, o organismo dela se prepara todo para atrair machos. É o instinto sexual feminino em ação, manifestações do estrogênio e da progesterona. Se um homem vê uma mulher sedutora, ou bonita, ou simpática, ela pode despertar nele seu instinto sexual. É a testosterona se manifestando. Tudo isso em qualquer idade, desde que haja níveis hormonais compatíveis.

Jovens podem confundir excitação sexual com amor e amor com amizade. **O amor conjugal** (conjunção corporal) é a sofisticação humana da excitação sexual. Ocorre entre os gêneros masculinos e femininos e é bem maior, mais amplo e mais duradouro que a atração sexual. Após um orgasmo masculino, a atração sexual pode diminuir, mas não o amor.

Muitos jovens sentem-se perdida e eternamente apaixonados por alguém, durante algum tempo, até se interessarem por outra pessoa, com quem repetem a história.

Paixões desse tipo duram em média dois anos nos adultos, mas para os jovens tudo acontece muito mais rápido. Às vezes, pode-se resumir até a "uma ficada" em uma balada.

Quando, para além da excitação erótica, desenvolve-se a amizade, tudo fica mais lindo. E mais lindo ainda fica o relacionamento quando se envolve o amor, como na história do casal de namorados Romeu e Julieta, no clássico homônimo do maior dramaturgo de todos os tempos, William Shakespeare (1564-1616).

O(A) MELHOR AMIGO(A)

Há jovens que nunca tiveram um verdadeiro amigo(a). O melhor amigo é um critério quantitativo da qualidade relacional chamada amizade, uma classificação altamente subjetiva. Um jovem pode considerar o melhor aquele com quem estiver em companhia mais constante, e os pais acharem que o melhor é aquele que tem os melhores costumes.

Quando os pais orientam os jovens para procurarem pessoas melhores que eles para fazer amizade, cometem dois erros: *primeiro*, interferem na amizade dos filhos; *segundo*, dizem-lhe para serem "os piores da turma", já que os "seus amigos" têm que ser os melhores...

Um amigo é um *alter ego* com quem o adolescente se compara, compete, identifica-se, une-se, debate ideias, projetos e sonhos, companheiro para aventuras arriscadas, a quem fala abertamente das suas paixões e preocupações, ouve sugestões, atende seus pedidos, numa confiança total nunca antes tida com qualquer outra pessoa, mesmo com os próprios pais e irmãos. A criança leva o sobrenome dos pais consigo, mas o adolescente quer criar o seu próprio nome ou apelido.

Adolescentes adoram a escola, mas o que os atrapalha são as aulas; quer dizer que os adolescentes adoram ir para onde encontram outros adolescentes, onde estarão seus amigos. O local não importa, tanto quanto as pessoas com quem vai encontrar. Ter e manter um melhor amigo é Alta Performance relacional do adolescente.

TURMA DOS JOVENS

Por isso é costume dizer que adolescentes andam em bandos, ou seja, turmas. Cada adolescente tem a sua e nela encontra seu lugar, seu modo de ser, fazer e acontecer. É uma organização social-juvenil, pois tem o seu chefe, em geral, o adolescente mais astuto, ousado, aventureiro e que acaba qualificando o comportamento grupal.

A turma mantém uma **solidariedade interna** praticamente indevassável por pais, educadores e outras autoridades. É uma espécie de código de honra que os preserva contra tudo e contra todos que se oponham a qualquer um dos seus integrantes.

A turma pode ser do bem ou do mal. As do bem são mais abertas, sem muitos segredos, praticam ações comunitárias. Geralmente seus pais também são do bem. As do mal são fechadas, pois cometem muitas transgressões, mesmo que seus pais sejam do bem. São suas características: brigas por territórios; leis internas severas; traições fortemente castigadas; deserções condenadas; maior uso de drogas etc. Seus integrantes têm a performance do mal.

Mesmo que seus componentes escondam dos pais os conteúdos do que fazem nas ruas ou nas casas onde os pais não estejam presentes, eles demonstram a adesão ao bando porque vestem roupas, como um uniforme do bando, têm comportamentos muito diferentes dos irmãos e/ou dos pais, usam gírias próprias etc.

PAIS NÃO SÃO MELHORES AMIGOS DOS FILHOS

Quando um filho está em apuros, os pais, geralmente o pai, tenta ajudá-lo dizendo "*você pode confiar em mim, sou o seu melhor amigo!*"

Fico com pena do filho que ouve esta fala porque significa que ele não escolheu o seu melhor amigo, que o pai não está considerando bem as amizades que o filho tem e, principalmente, porque fica a dúvida *"então quem será o seu pai?"*

O filho pode ter quantos amigos quiser, mas pai ele só tem um; mesmo que sua mãe case outra vez, o marido dela não é o pai. Fico com pena do pai que precisa dizer que é o melhor amigo do filho, pois um amigo mesmo não se diz melhor que os outros.

Ser o melhor amigo para o outro não é fácil, pois isso depende do outro. Isso não se impõe, como o pai acima estaria se declarando. Se nessa hora o filho diz, como diria ao seu melhor amigo, que experimentou drogas, o pai deixa imediatamente de ser o melhor amigo e volta a ser um pai cuidadoso, educador, contrariado, ou até mesmo bravo, decepcionado etc. Esses sentimentos nenhum melhor amigo teria.

É preciso que **o pai confirme que é pai**, e ninguém na vida irá ajudar o filho como ele. Uma ajuda de longo prazo, que arca com os prejuízos, com os sofrimentos, com a responsabilidade de pai.

Um pai que vive meio ausente, que não acompanha de perto o que o filho está vivendo, e que de repente se diz melhor amigo dele tem baixa performance de pai, e mãe que tenha que colocar o pai nesta situação tem baixa performance de mãe.

COMO SE DESENVOLVE UMA ALTA PERFORMANCE

Erasmus Darwin já acreditava que as plantas e os animais evoluíam. Mas foi seu neto, Charles, que explicou e comprovou que a evolução das espécies se dava pela seleção natural, isto é, sobrevivia aquele que se adaptasse melhor ao meio ambiente.

Um pai que nunca pegou um livro desejar que seu filho seja um estudioso conseguirá menos resultados que um filho que já cresceu folheando livros. Para gostar de ler é preciso ter afinidade com os livros. Sem livros, nem ninguém em casa que transmita o gosto de ler, será difícil o filho realizar o sonho desse pai. Se não há livros no seu meio, não se desenvolve a afinidade. Pais que gostam de ler transmitem esse gosto aos filhos. Para aderir, é preciso gostar. Desenvolve-se mais facilmente quando se gosta do que faz.

Não é o treino que leva à competição, mas a competição que melhora as marcas dos treinos. Que seria de um Bill Gates, se tivesse nascido e criado naturalmente em uma vila esquecida do mundo?

Existe, é claro, o talento natural, mas pouco serve se sobre ele não houver o exercício, a prática constante e o meio propício. Entre os talentosos destacam-se os empenhados. Basta reparar como têm portes físicos semelhantes os melhores nadadores do mundo, todos talentosos. O que os diferencia é o treino, as 10 mil horas...

Atendi um jovem cujo pai é um self-made man *que lhe satisfazia todos os seus gostos. Pelo talento era bem classificado em qualquer esporte que ele iniciava. Quanto mais evoluía na modalidade menor era a sua performance, pois ele não treinava. O talento o ajuda a destacar-se dos iguais, mas não o destaca dentre os outros talentosos. O filho acabava interrompendo tudo o que começava. Faltavam-lhe disciplina e responsabilidade do dever. Ele foi um talento desperdiçado e o pai, um frustrado no seu sonho de ter um filho campeão em alguma coisa.*

TUDO PODE MUDAR...

Enquanto houver vida, há possibilidades de mudança. É como diz Eugenio Mussak, um dos maiores pensadores do nosso tempo, no seu livro *Caminhos da Mudança*[36]: *Mais que um tempo de mudanças, vivemos uma mudança de tempo*, e *mudanças são boas quando trazem acréscimos a nossas vidas.*

Nenhum empregador ou cliente aceitará falhas nas suas funções com desculpas de ter tido uma infância ruim, ou não ter estudado. O mundo do trabalho profissional não aceita desculpas nem explicações sobre os erros. Ou corrige, ou simplesmente será descartado pelo mercado.

É tempo de mudança. O mundo pode se condoer da infância mal vivida de alguém, mas não o tratará como um filho chorão, ou birrento, ou carente. O mundo é meritocrata. Esmolas não estimulam o crescimento.

As mudanças chegaram às famílias e lhes disseram: Se você fizer por ele o que é ele que tem que fazer, em vez de ajudar, você estará aleijando o filho.

Ninguém pode ter Alta Performance sendo somente teórico, se a mãe da sabedoria é a prática. Na teoria tudo é possível, as hipóteses são verdadeiras e os sonhos são realizáveis. É a prática que viabiliza os sonhos.

É comum os pais me perguntarem se é possível educar um adolescente, pois eles já perderam as esperanças de que seu filho melhore. Sim, é possível, com **mudança de atitude**. O passo seguinte está para ser dado, portanto pode ser mudado. Alta Performance se alimenta da esperança de melhorar a cada passo, e não de repousar sobre as glórias dos passos já dados.

[36] Eugenio Mussak. *Caminhos da Mudança*, p. 19-20.

SENTIMENTOS, PENSAMENTOS, PALAVRAS E AÇÕES

O ser humano já nasce sentindo sensações físicas como calor/frio, saciedade/fome, tranquilidade/dor etc., todos rudimentos do conforto-desconforto. No conforto, o recém-nascido fica sossegado ou dormindo. No desconforto, ele se agita, geme, chora. A mãe aprende assim a identificar fome, sede, fralda molhada, frio etc.

Sensações físicas como prazer/desprazer, conforto/desconforto são biológicas e pertencem ao nosso lado animal. Sentimentos são características dos humanos. A qualidade e o objeto dos sentimentos são aprendidos.

Nascemos com o **potencial para pensar**. E pensamentos são organizações mentais adquiridas na família e no meio em que se vive. Os pensamentos existem para qualquer pessoa. A questão é o que fazemos com eles ou como interferem na nossa vida.

Palavras e ações são resultantes da soma de pensamentos, com sentimentos e sensações, que surgem dentro de nós. Entretanto nada está tão rigidamente instalado que não possamos mudar, ou principalmente em situações de crise. Mesmo adulto, o ser humano pode se reinventar, como diz Carlos Alberto Júlio, professor da FGV e alto executivo.[37]

As características genéticas influem em média em 15% dos comportamentos e temperamentos. Os 85% restantes são adquiridos. É o que concluo a partir da participação genética na formação de câncer, no livro *Anticâncer: Prevenir e vencer usando nossas defesas naturais*, de David Servan-Schreiber.

A timidez não é tão genética quanto parece; na sua maior parte ela é desenvolvida por pais não só tímidos como também bastante repressores, rigorosos com os próprios filhos. Pais

[37] Carlos Alberto Julio. *Reinventando Você:* a dinâmica dos profissionais e a nova organização.

tímidos, sem vida social, não favorecem a extroversão dos filhos, reprimem-nos de acordo com sua maneira de comportar.

SELETOR DOS PENSAMENTOS

A qualidade dos pensamentos revela mais o caráter de uma pessoa do que suas palavras. As palavras podem ser mais bem controladas que os pensamentos, pois é por elas que a mente se manifesta.

Tanto a palavra quanto a ação dependem do que uma pessoa pretende, do que se passa na sua vontade e na sua mente. Portanto, é a mente que comanda o que a pessoa fala ou faz, através das suas propriedades como pensar, imaginar, calcular, questionar, compreender etc.

Quando uma pessoa deixa escapar algo ou comete um gesto inesperado, diz-se que ela cometeu um ato falho. Alguns acreditam que esses atos revelam o inconsciente das pessoas, portanto não são atos falhos, mas verdades do inconsciente.

Pensamento é uma ideia mais organizada, com base mais real que simples ideias soltas e descomprometidas que vêm livremente à mente. Quando um filho fala ou faz algo absurdo é comum os pais ensinarem: *pense antes de falar (ou de fazer)*.

Muitas vezes o erro não está no pensar, mas numa instância superior que **avalia o próprio pensamento**, que vou chamar de seletor. Os pensamentos conscientes são selecionados por ele, pré-avaliados, antes de saírem pelas palavras ou ações.

Para quem tem o valor de dever bem internalizado, esse seletor tem o nome de superego. É o superego que torna nosso comportamento mais socialmente adequado. Poderia, mas não rouba, não mente, não transgride. Há pessoas cujo superego somente funciona na presença de outras pessoas, isto é, se estiverem sozinhas, elas roubam, mentem e transgridem.

É o seletor que permite que alguns pensamentos sejam praticados e outros, não. É nele que se desenvolvem os padrões éticos, religiosos, sociais, familiares, e outros que regem o comportamento das pessoas. Portanto, é esse seletor que deve ser educado pelos valores permanentes da família.

SELETOR DE PENSAMENTO CRIACIONISTA OU EVOLUCIONISTA[38]

Se uma família é devota a Deus e nele acredita, sua compreensão de mundo é criacionista. Os pais aprovam e/ou reforçam os comportamentos e palavras criacionistas dos filhos, podendo reprovar e/ou condenar o evolucionismo. **Os filhos aprendem com os pais** o criacionismo, principalmente se estes forem praticantes. Mais tarde, o criacionismo fará parte do seletor de pensamentos. Então os pensamentos e comportamentos passarão a ser criacionistas até desenvolverem uma crença própria.

Se outra família acredita na Teoria da Evolução das Espécies, criada há 150 anos por Charles Darwin, sua compreensão de mundo é evolucionista. Assim, sua educação estará voltada ao evolucionismo, e é em sua função que o seletor de pensamentos agirá.

Os criacionistas e evolucionistas podem viver em harmonia em muitos pontos. Somente quando surge a questão *qual a origem do mundo e do homem* é que ocorrem acalorados debates. Nos debates mais aprofundados, cada um continuará com a sua crença criacionista ou evolucionista.

O próprio Darwin viveu esse conflito com sua teoria de que as plantas e os animais evoluem e se modificam ao longo das eras. Portanto, contrariava os dogmas da *Bíblia*, segundo os quais

[38] Os dados sobre o evolucionismo de Darwin e o criacionismo da Bíblia foram baseados na matéria da revista *Veja* (11 de set. de 2008, ano 42), Abril, por Gabriela Carelli.

o mundo e os seres vivos estão na Terra por dádiva da criação divina; mas nunca Darwin disse que a *Bíblia* estava errada; logo ele, que era religioso e que se preparou para ser pastor da Igreja Anglicana, e manteve sua fé religiosa até os últimos anos de sua vida. Sua esposa Emma temia que ele fosse para o inferno por causa de suas ideias, o que os separaria após a morte, já que ela iria para o céu. Darwin ficou tão angustiado que só conseguiu publicar sua teoria 21 anos após tê-la criado.

FORMAÇÃO DO SELETOR DE PENSAMENTOS

Todos os humanos têm suas crenças, religiosas ou não, nas quais pautam suas atitudes, ações e palavras. São suas referências que atuam antes mesmo de se formularem os pensamentos e pontos de vista.

Essas referências que hoje já estão internalizadas nas pessoas, um dia estiveram fora delas. As pessoas nascem com potencial para pensar. Os pais, a escola, o meio (televisão, internet, livros, jornais etc.) fornecem informações que serão transformadas em conhecimentos que, por sua vez, serão os conteúdos que irão gerenciar as palavras e as ações das pessoas.

Emma Darwin foi educada num meio bastante religioso, a ponto de ter certeza de que após sua morte **ela iria para o céu**. Acreditava, como disse, que seu marido Charles iria para o inferno por questionar a origem dos homens, o que demonstrava que ele não acreditava que Deus fez o homem à sua imagem. O casal sofria com a ideia de ficar separado pela eternidade. Essa foi a principal razão para Charles levar 21 anos para publicar a descoberta que revolucionou o mundo em muito menos tempo.

Charles manteve a fé religiosa até os últimos anos de sua vida, quando se declarou agnóstico sob o impacto da morte da sua filha Annie, aos 10 anos de idade. Agnóstico é quem acredita que existem coisas que não conhecemos, para as quais não temos explicações lógicas.

Essa cultura pessoal que seleciona o que é bom-ruim, certo-errado, permitido-proibido não nasce com a pessoa. Muitas vezes ela é tão forte que já seleciona a atitude a ser tomada, a palavra a ser dita, a ação a ser feita, antes mesmo de serem pensadas. Essa **cultura é o seletor** de pensamentos.

Se, no começo, essa cultura foi questionada, logo a dúvida perdeu forças ao ser esvaziada pelas pessoas à sua volta. Fica tão forte a ponto de uma pessoa não conseguir contrariá-la e logo se torna automática – a pessoa nem pensa mais ao praticá-la. É quando o seletor nem entra em funcionamento, pois a cultura já determinou o que deve ser pensado e feito.

Agora não fica mais tão estranho o conflito que viveu Charles Darwin para publicar a sua descoberta.

PENSE SOMENTE O QUE PODE FALAR

Um dia, João me contava o quanto detestava Pedro, porque ele tratava mal as pessoas. João está esperando o dia para lhe dizer "umas poucas e boas". Eis que Pedro chegou e nos cumprimentou e ficamos os três a esperar o elevador. João abaixou o olhar. Pedro reclamava do tempo, sem perceber que João havia falado mal dele pouco antes de ele chegar. Imaginei como João estaria se sentindo e como Pedro reagiria se soubesse o que João falou...

O seletor de pensamentos de João permitiu que ele falasse para mim o que não falaria para Pedro. Ao contar para mim, João abaixou a voz, e certificou-se de que não havia ninguém por perto. Depois, quando Pedro chegou, ele baixou os olhos, ou seja, "não encarou" a situação existente. Acredito que João não deveria estar em paz também comigo, que agora sabia das suas intenções. Tanto sofrimento e desgaste para nenhum resultado.

Seu problema foi o ódio estar no seu coração e ser aceito pelo seletor de pensamentos. Para o ódio não lhe escapar, abaixou o olhar, engoliu a raiva.

Se o ódio já está no coração, ele chega ao seletor. Se o selecionar aprova, ele é manifestado para a pessoa odiada. Mas se o seletor aceita o ódio, mesmo que não seja diretamente manifestado através das palavras e do comportamento, ele encontra um jeito de aparecer, seja pela maneira que se fala, pela postura corporal, tom de voz, pelo olhar, pelas respostas que se dá...

O grande segredo é: *se não puder falar, que afaste o ódio do seletor*. Melhor seria se nem sentisse ódio. Porém não há como não senti-lo, pois sentimentos são próprios dos seres humanos e não se manda neles. As pessoas mais saudáveis também sentem ódio, mas **afastam-no do coração** com tamanha eficiência que até parece ele não existiu.

O que não pode acontecer é engolir-se o ódio. Se foi engolido, é porque não foi afastado. Afastar é não aceitar o ódio no seu coração e muito menos no seletor. Ódio engolido provoca depressão, mal-estar, comportamentos descontrolados que prejudicam a todos. O ódio sentido, quando justo, tem que ser manifestado adequadamente, possibilitando mudanças de atitudes e comportamentos em ambos, o que odeia e o que é odiado.

É por isso que a Alta Performance é resultado também de pensar o que se pode ou se deve falar. É como disse a criança ao seu pai na introdução deste livro:

Alta Performance é fazer o melhor possível
e não pensar mal de ninguém.

PARTE III

CASAL DE ALTA PERFORMANCE

Este capítulo é dedicado a mostrar alguns caminhos que a humanidade trilhou para chegar ao que é a família hoje.

Posso garantir que uma das comunidades que conseguiu sobreviver a tudo, desde o início há mais de 10.000 anos, até os dias de hoje é a familiar. Ela se adapta a todos os tipos de mudanças: de número, de poder, de política, de sociedade, de riqueza, de cultura, de gênero, de religião, de língua, de raça, de cor etc.

A família garante a perpetuação e a sobrevivência da espécie, custe o que custar. Isso é muito bom, pois dificilmente vamos encontrar adultos totalmente dedicados à educação dos descendentes, como os pais. Desde a vida uterina até praticamente a morte, os membros da família passam por ciclos de dependência; a última fase é a senilidade, que nos torna dependentes outra vez.

Portanto, a família esteve, está e sempre estará presente claramente com as funções biológica, de garantir a proteção e os cuidados às novas gerações, e social, de transmissão de padrões e normas de cultura bem como tantas outras funções tratadas neste livro.

Casamentos: conveniência e amor

ÉRAMOS HUMANOIDES; HOJE ENCHEMOS O PLANETA COM QUASE 6 BILHÕES E MEIO DE HABITANTES E CONSTRUÍMOS UMA CIVILIZAÇÃO QUE NÃO PARA DE EVOLUIR, provando que os sentimentos e o bem têm vencido os maus e o mal.

Por mais que a morte sempre leve os humanos na sua última batalha, o homem tem aproveitado muito bem o prazo que a vida lhe oferece de passagem aqui na Terra. A qualidade de vida das pessoas melhorou muito desde que as escolhas para os casamentos ficaram por conta do amor e não das obrigações familiares e/ou socioeconômicas.

Não significa que eram infelizes os casamentos antigos, pois talvez as pessoas fossem preparadas desde o nascimento para gostar das pessoas com quem casassem, ou simplesmente atendessem às vontades dos pais, ou as forças da tradição. Porque até hoje sobrevive o costume dos "casamentos arranjados". Independentemente de o casamento ser por amor ou por "arranjo", para a educação dos filhos é bastante prejudicial a permanência de um pai (ou mãe) delinquente. Apesar de a presença do pai ser muito importante na família, às vezes é preferível a ausência de um pai delinquente do que sua presença maléfica.

DE CAÇADOR DE FERAS A PAI

Pais de hoje são mais dedicados que seus próprios pais, que nem iam à sala de parto; mais que seus avós, que pegavam os netos somente quando já falavam e nem comiam junto com as crianças, que comiam em mesas separadas.

Pais de hoje, além de entrarem nas salas de parto, lá não desmaiam mais, nem dão trabalho ao obstetra que está ali para fazer o parto da mulher e não para atender desmaios e bambezas nas pernas de papai novinho... Hoje existem obstetras que sabem que **o parto é do casal** e não só da mulher.

O funcionamento do cérebro masculino de hoje é o resultado final de milhares de anos agindo como caçador. Não é à toa que o homem está no topo da pirâmide da cadeia alimentar. É onívoro, isto é, come de tudo o que se mexe e cresce, de formigas a elefantes, de algas e peixes a folhas, raízes e frutas.

Para caçar e não ser caçado, o homem teve que ser agressivo, predador, estrategista, concentrado ou focado (um pensamento e uma ação de cada vez), com meta a atingir (trazer alimento para o grupo), orientação espacial apurada, raciocínio matemático, pouco sensível a sentimentos, estimulado pela competição etc.

Como um homem testosterônico, por muitos considerado machista, pode lidar terna e cuidadosamente com um recém-nascido, embalar uma criança, compartilhar emoções com os filhos, se ele ainda traz dentro de si o que servia muito para a caça: paciência curta, voz grossa e mão pesada?

PATRIARCADO FAMILIAR

Mesmo as famílias sendo matrilineares, o homem tinha compleição física maior e era mais forte que as mulheres. Eram dele atividades como a caça, a defesa e o ataque a outros grupos, a proteção do território etc.

O patriarcado inicia quando começou a agricultura, época em que diminuiu o nomadismo e as famílias se fixaram aos seus territórios. As brigas entre os grupos passaram a ser pela posse de mais territórios, o que significava melhor possibilidade de sobrevivência. **Os dominantes tomavam tudo**: territórios, áreas com plantio e pastoreio, mulheres e crianças. Homens dominados eram escravizados ou eliminados.

Hoje temos os registros escritos. Sabemos que o que fica para a história são os registros dos fatos e não os fatos em si. O registro recebe influências interpretativas do registrador. O que é transmitido oralmente vai sofrendo transformações, acréscimos e distorções. E sobre um mesmo fato podem existir muitas versões históricas.

Quem tinha o poder ditava quais os conteúdos e rumos permitidos e/ou proibidos ao registro. Não é raro um ditador mandar eliminar registros antigos como documentos e livros para imprimir a sua versão para ficar para a história.

Nos registros que temos do patriarcado, as mulheres sempre foram subjugadas pelos homens. E começa pelo grande poder espiritual que é Deus, onipotente, onipresente e onisciente, em praticamente todas as religiões.

CONSTRUINDO A PATERNIDADE ATUAL

Em situações em que falham os patriarcas, as mães assumem a sobrevivência da família. Há alguns registros de mulheres heroicas, o que somente reforça a excepcionalidade do matriarcado.

Hoje, com o avanço tecnológico e a sobrevivência não depender mais da força bruta, mas sim de competências profissionais, as mulheres estão disputando o mesmo mercado de trabalho com os homens. E o avanço delas em cargos de poder máximo está nítido. O mundo aceita hoje mulheres dirigindo países, empresas e negócios. Mas o patriarcado familiar ainda existe, principalmente em famílias tradicionais ou de baixa renda e baixo nível cultural. Conheço mulheres que trabalham fora de casa e são responsáveis pela vida financeira da família, mas em casa ainda se submetem a maridos machistas.

Basta que um **marido desempregado**, que não faz nada em casa, beber um pouco que logo surge o "machão jurássico" com sua paciência curta, voz grossa e mão pesada. Não é a bebida que produz o machismo, mas ela desperta o macho que o homem traz dentro de si. Há mulheres que já não mais aceitam submeter-se a esse machismo pregado e cultuado pelos patriarcas.

Hoje os homens estão se preparando mais para serem pais, mas não se muda um padrão de milhares de anos em uma única geração. Pais masculinos atuais, em casos de separação conjugal, reivindicam ficar com os filhos, querem a guarda compartilhada dos filhos, não mais se restringindo somente ao que lhes determina a lei.

MULHERES SOB A PROTEÇÃO DOS HOMENS

As mulheres historicamente sempre se organizaram entre si para cuidar das crianças; penso que, assim, elas desenvolveram algumas características interessantes: falar e ouvir ao mesmo tempo; realizar várias tarefas simultaneamente; controlar tudo o que estiver ao seu alcance; reparar nas comunicações extraverbais, olhar sem virar o rosto etc.

Eram as mulheres que cuidavam de todas as crianças do grupo, mas também eram cuidadas e protegidas pelos homens adultos do grupo: seus primos e irmãos.

Aprendi com o Prof. Luiz Marins, antropólogo e palestrante, que numa tribo de Minangkabau, Sumatra, ***não havia mulheres solteiras****, como entre alguns índios brasileiros. Quando uma mulher engravidava, o feto já era dado em casamento a um homem importante que passava a ser o seu marido. Se nascesse uma menina, todos sabiam quem era o marido dela. Se fosse menino, o trato era desfeito. Ricardo Coler, médico e jornalista argentino, no seu livro Reino das Mulheres fala sobre a Comunidade Mosuo, China. Um filho é cuidado até 1 ano de idade pela sua mãe que vive com sua própria mãe e respectivos irmãos. Depois passa a ser cuidado pela grande família. Não há pai nem avô. Os homens são tios e irmãos nestas famílias matriarcais.*

GUERRA E AMOR PELAS MULHERES

Também na Grécia antiga, o poder dos homens sobre as mulheres era notório, mas existia também o amor. Quando vinha a paixão, o casal não media consequências. É o que mostra o épico filme ***Troia***[39]:

> *Segundo o poeta Homero, na sua obra Ilíada, a guerra de Troia*[40]*, em 1.200 a.C. foi motivada pelo rapto de Helena, rainha de Esparta, esposa do rei Menelau, por Páris, príncipe de Troia. Helena era a mulher mais linda do mundo e foi dada ao Rei Menelau como prêmio porque ele venceu todos os seus adversários, ou seja, não foi escolha dela. Páris quando a viu em uma missão diplomática a Troia apaixonou-se por Helena e por ela foi correspondido.* ***Páris roubou Helena de Menelau*** *e levou-a para Troia, iniciando assim uma violenta guerra entre Esparta e Troia, que durou 10 anos.*

[39] Direção: de Wolfgang Petersen, 2004.
[40] http://www.suapesquisa.com/historia/guerra_de_troia.htm

Da canção infantil *Terezinha de Jesus*[41], da música popular brasileira, cantada até hoje pelas crianças, extraí:

Terezinha de Jesus
De uma queda foi ao chão
Acudiram três cavalheiros
Todos três chapéu na mão.

O primeiro foi seu pai,
O segundo seu irmão,
O terceiro foi aquele
Que a Tereza deu a mão.

A letra mostra o quanto Terezinha foi submetida à "proteção" masculina do pai e do irmão, e talvez até justificasse em épocas onde valia a força física e um homem é que tinha que protegê-la contra outro homem que a atacasse. Submetida, pois, coitada dela se tivesse vontade própria!

E depois, já crescida, era pelos pais entregue a quem eles escolhessem. Somente há pouco tempo é que o costume da escolha pela pessoa amada passou a ser da própria filha.

EPOPEIA PARA A MULHER TRABALHAR FORA

Na Era Industrial, por volta de 1820, a mulher começou a trabalhar fora como operária em grandes indústrias têxteis. As operárias entravam normalmente aos dez ou doze anos para a fábrica, quase sempre depois da Primeira Comunhão, e na maioria das vezes saíam aos 20 ou 25 anos, já que a primazia era dada à constituição da família.

[41] http://www.abrasoffa.org.br/folclore/cantimus/terezinha.htm

Havia um ditado: "A l'homme, le bois e les métaux. A la femme, la famille e les tissus" (Ao homem a madeira e os metais, à mulher a família e os tecidos). Apenas em 1841 surgiu uma lei que proibiu empregar crianças com menos de oito anos e a escolaridade obrigatória foi decretada em 1881. Segundo Michelle Perrot[42]:

> *Elas eram mal pagas, facilmente despedidas e nos registros que se encontram não estão sequer divididas por categorias profissionais. A elas eram destinadas as tarefas mais elementares e mais sujas e quantas vezes eram* ***vítimas de abusos sexuais*** *tanto na fábrica como nos trajetos de e para o local de trabalho. Tinham menos benefícios porque se partia do princípio que teriam uma família que as sustentava. Resumindo, a individualidade econômica das mulheres não existia bem como não existia a sua individualidade política.*

No Brasil, até há poucas décadas, as mulheres estudavam, mas muitas delas, largavam seus diplomas universitários para se dedicar à família.

FORÇA DA MULHER NO MERCADO DE TRABALHO

> *Se até 1975, de cada 100 mulheres, 25 trabalhavam, em 2002 já eram 50, tendo aumentado portanto 100% o contingente. Também passaram a ganhar mais... em 1981 se pagavam 55% dos salários pagos aos homens ... em 2002 passaram para 70%. A diferença salarial continua diminuindo e o número de mulheres trabalhando fora continua aumentando."* [43]

Existe, porém, uma falácia quanto às mulheres que têm trabalho, mas não têm emprego. Se perguntarem aos filhos, cuja mãe

[42] http://cdocfeminista.gasosa.pt/home/index.php?option=com_content&task=view&id=1
[43] Veja no livro *Quem Ama, Educa!* Formando cidadãos éticos, p. 44.

não tem emprego "em que sua mãe trabalha?", eles respondem "ela não faz nada!"

Ser "rainha do lar" significa pensar em todos os almoços e jantares para que todos se alimentem bem e saudavelmente com o que tiver em casa; cozinhar e temperar a gosto de cada um, preparar a mesa, ensinar como comer educadamente, verificar se todos estão comendo, retirar a louça, lavar tudo, inclusive panelas e guardar tudo nos seus respectivos lugares, passando vassoura na copa e pano na cozinha e deixar a copa e cozinha em ordem como se nem tivessem sido usadas. Isso representa somente uma das inúmeras tarefas da "rainha", das quais nem o marido nem as crianças têm a verdadeira dimensão.

Mulheres gastam **25,2 horas semanais**, em média, com afazeres domésticos, segundo dados do IBGE de 2.005.

Feitos os cálculos de quanto a família teria que pagar a um ou mais funcionários(as) para fazer tudo o que a "rainha do lar" faz, resultaria um numerário maior do que o salário do marido. Isso sem contar que a mãe funciona como enfermeira de pronto-socorro, professora particular e secretária do marido. E sem falar do envolvimento afetivo que ela tem com tudo o que faz e ainda estar uma mulher linda, cuidada e disponível para o seu amor.

JORNADA MASCULINA DE TRABALHO

E por que até há pouco tempo as mulheres tinham que se dedicar tanto às famílias? O que faziam os homens? Max Gehringer, que foi presidente e diretor de grandes empresas no Brasil e exterior, atualmente um dos mais respeitados palestrantes e escritor, escreveu[44]:

[44] Max Gehringer. *O melhor de Max Gehringer na CBN*, p. 55.

Em 1870 uma empresa inglesa tomou uma decisão de tratar seus funcionários de uma maneira liberal... recebeu severas críticas de outras empresas... e distribuiu o seguinte comunicado aos seus funcionários:

Primeiro – o expediente da semana irá de segunda a sábado, das seis da manhã às sete da noite.

Segundo – será permitido aos funcionários alimentar-se entre 11:30 e 12:00 horas, mas sem deixar seu local de trabalho.

Terceiro – os funcionários poderão aliviar-se duas vezes por dia. Para isso, devem obter autorização prévia da supervisão e utilizar o jardim ao lado do portão número 2.

... a empresa liberal esperava dos funcionários uma retribuição na forma de mais produção. Este comunicado desperta o interesse também para saber como funcionavam as empresas que criticavam esta "utopia".

... nessas empresas as pessoas trabalhavam ***sete dias por semana*** *em vez de seis. E o expediente de trabalho era de 13 horas e não de 11. Não há registros quanto aos eventuais alívios das necessidades fisiológicas, mas não é difícil concluir que só chefes e supervisores tinham direito a estas regalias.*

PROFISSIONAL LIBERAL É LIVRE?

Como deveriam chegar os trabalhadores em casa após essa jornada de trabalho? Teriam condições ainda de cuidar dos filhos? Se não tivessem suas mulheres, com quem deixariam as crianças? Quem olharia pelas suas filhas adolescentes?

Transpondo para os dias de hoje, vivemos muito melhor, mesmo que tenhamos que trabalhar mais horas por dia, em até dois empregos ou fazendo "bicos" para aumentar a renda.

Não é raro um médico depois de concluir a faculdade (6 anos), fazer a residência médica em hospitais-escola (2 anos), sair para o mercado de trabalho e ter dois até três empregos, plantões de 12 a 24 horas, até conseguir estabelecer-se financeiramente, quando pode iniciar sua clínica particular.

Geralmente um médico continua vinculado profissionalmente e/ou por interesse científico com outras instituições, clínicas, hospitais, universidades etc. É o que se chama profissional liberal ou autônomo, isto é, a profissão pode ser exercida com autonomia, livre de qualquer subordinação a um patrão ou chefe.

Assim como médicos, existem outros profissionais que realmente **não dispõem de tempo físico** para uma educação presencial dos filhos. Como fica então a performance familiar desses profissionais?

A FAMÍLIA ATUAL

Com a emancipação da mulher, a família passou a ter diferente funcionamento. Mesmo que continue a divisão de funções no sistema tradicional, o pai ser o provedor e a mãe a "rainha do lar", portanto a responsável pela educação dos filhos, os pais têm a consciência, mesmo que seja recente, da igualdade de suas condições, num relacionamento mais horizontal que vertical.

Mas para chegar até aqui, houve uma boa evolução das cavernas aos condomínios residenciais. A família atual tem que funcionar como uma equipe. Todos unidos em função de uma meta. Famílias sem metas hoje se perdem como embarcações a vela que vão para onde os ventos as levam.

Como já vimos, mesmo que cada pessoa possa trabalhar ou viver sozinha é em grupo que sua performance geral aumenta. O espírito de equipe começou muito antes da família parental, isto é, do núcleo com pai e mãe. Antes de existir a agricultura, a família matrilinear era mais uma equipe que a parental, visto que a paternidade não era praticada.

Um humano solitário talvez não sobrevivesse aos rigorosos invernos ou às feras famintas. Já muitos homens juntos, formando uma equipe, poderiam defender-se melhor das intempéries e caçar as feras.

Os homens que mantinham a sobrevivência pela caça tanto defendiam a sua grande família e o seu território quanto atacavam outras. As mulheres eram protegidas pelos homens e cuidavam das crianças. Isso já era uma divisão de tarefas e provavelmente cada integrante fazia o que melhor sabia fazer. Deveria existir um líder, com certeza a mãe, pois era em torno dela que o grupo se formava e se unia.

LIDERANÇA FEMININA NA FAMÍLIA

A mulher na família matrilinear deveria ser a mais experiente, ter uma visão de futuro (escassez de alimento, chegada do inverno etc.), saber como se comunicar bem com todos, resolver conflitos entre as pessoas, demarcar os deveres e direitos de cada um, estimular a união do grupo, unir os interesses individuais em prol do coletivo, merecendo todo o respeito e confiança de cada um dos seus integrantes. Depois essa liderança passou para o pai e veio até os dias de hoje.

> *Em 1930, uma noviça é contratada por um capitão austríaco, viúvo, para cuidar dos seus sete filhos que estavam sendo educados como se estivessem num regimento. Neste filme musical,* A Noviça Rebelde, *o pai é um militar clássico, que não tem como educar seus filhos e precisa* ***delegar a alguém a educação dos filhos***[45].

[45] http://www.interfilmes.com/filme_v1_14051_A.Novica.Rebelde-(The.Sound.of.Music).

Há um relacionamento familiar piramidal com muito amor. O pai no topo da pirâmide, os filhos formando a base, com os adolescentes um nível acima das crianças; provavelmente a mãe estaria abaixo do pai e acima dos filhos.

A presença da mãe, portanto, era fundamental na educação dos filhos e não como uma funcionária do pai. Já era uma divisão de tarefas na qual cada um dos pais fazia o melhor que podia. O que se ensinava aos filhos é que os homens tinham que ser profissionais e as mulheres desenvolver as "prendas domésticas".

CONTRATO DO CASAMENTO

Uma família começa oficialmente a se formar a partir do casamento. Funcionalmente a família começa quando o casal engravida. Uma das menores equipes formadas por duas pessoas de sexos diferentes é o conjugal. Existe um **contrato de vínculo** documentado oficialmente pela certidão de casamento, celebrado espiritualmente conforme com a bênção da religião à qual pertencem pela cerimônia do casamento e comemorado socialmente através de uma recepção elegante, onde a comida, bebida e música é oferecida pelos pais dos noivos.

Os cônjuges formam relacionamentos simétricos, como pares, portanto com os mesmos direitos e obrigações, unidos por um intenso envolvimento afetivo, excepcional afinidade ideológica e forte atração física.

Mas a grande característica desse casal é quando tem entre si algo maior que com outros pares adquirindo até nomes distintos: marido e esposa. Apesar de terem os mesmos direitos e obrigações, cada qual tem para si características funcionais diferenciadas.

O que diferencia os cônjuges de outros pares é a vida sexual, consequência da atração física entre os diferentes sexos masculino e feminino com excepcional complementaridade na satisfação de um pelo outro e vice-versa. E o casamento é a coroação de um percurso de um relacionamento que se inicia pelo namoro, depois o noivado e o "enfim sós".

CASAMENTO QUE NÃO DÁ CERTO

Como pode um casamento não dar certo? Não é bem um casamento que não dá certo, mas o relacionamento que não suportou o casamento, pois é preciso muita saúde relacional para se dar bem também no casamento. Como diriam os jovens adeptos dos videogames: é uma nova fase do jogo, numa etapa crescente de dificuldade. A próxima fase será a de ter filhos.

Os motivos apontados para a separação do casal são os mais variados possíveis. Os pais dos cônjuges costumam justificar que os filhos **não estavam prontos** para casar. Eles próprios se justificam a quem pergunte que "não tem (tinha) como dar certo, pois...", e vem então uma lista de queixas. Muitas destas já foram percebidas antes, mas esperava-se que quando casasse melhoraria.

Ninguém melhora ou piora magicamente. O que pode ser mágico é o resultado de uma mudança que vai se fazendo interiormente até dar os seus primeiros sinais exteriores. Aí surgem as explicações: "surgiu do nada"; "veio de repente"; "veio assim, sem nada a ver, de uma hora outra" etc.

A separação de casal funciona como a maioria das doenças. Ela vai se instalando e quando se percebe já há sintomas, e a pessoa então procura o tratamento. O acidente vascular cerebral ou o infarto agudo do coração não têm nada de acidente nem de agudo. Os vasos sanguíneos vão se entupindo por muitos e muitos anos até que o mais sobrecarregado entope de vez, quando aparece o conhecido "derrame".

COMPLICADORES DE CASAMENTOS

Assim, o casamento não é uma loteria. Pelo contrário, ele é um resultado esperado baseado em como foi o namoro ou noivado.

Uma vida a dois requer dedicação, fidelidade, tolerância às diferenças individuais, companheirismo, cumplicidade, partilhamento das dores e prazeres, esforço de adaptação e competência para a superação dos problemas, responsabilidades a cumprir, respeito mútuo, incluindo uma forte atração física e amor com muito, mas muito carinho.

Um problema que surja entre o casal só tem uma saída: **resolução conjunta**. O que for bom para um não pode ser ruim para o outro. Quanto menos pessoas estranhas ao casal forem envolvidas tanto melhor será. Pois um "probleminha" não resolvido pode ser a brecha para a entrada dos problemas de outras pessoas.

Uma das pessoas estranhas ao casal mais frequente, para o bem e para o mal, é a sogra da esposa, ou seja, a mãe do marido. Se for Filho Único, então, todo cuidado é pouco. Poucos casais escapam quando é Filho Único de mãe única. Não tenho nada contra ela, mas quem avisa amigo é.[46]

Um casal saudável sabe que não existe relacionamento sem problemas. O que existe é a falta de resolução desses problemas, que acaba formando conjunto com outros problemas e, quando o sofrimento é muito grande, o casamento pode não resistir.

A separação do casal não é fracasso da instituição casamento. Muitas vezes o casalzinho era bom para namorar, mas não para casar. Então o sucesso do casamento seria não dar certo mesmo. Não esperar para ter filhos para ver se o casamento melhora. Filhos precisam dos pais e não vice-versa.

[46] Ver parte I desta obra.

PARA UM CASAMENTO SER FELIZ

Para um casamento ser feliz são necessários basicamente dois componentes: saúde psíquica de cada um deles e saúde relacional. Uma pessoa muito comprometida como psicóticos ou neuróticos graves não tem disponibilidade nem disposição psíquica para se relacionar com outras pessoas.

Mesmo sem ser gravemente comprometidos, as chamadas pessoas "normais" também têm uma tal "incompatibilidade de gênios" que torna o relacionamento inviável. São pessoas que podem se relacionar muito bem com certas pessoas, mas não conseguem nem ficar perto de outras.

Podem se amar apaixonadamente, mas uma pessoa tremendamente bagunceira torna a vida de uma pessoa regularmente ordeira um tormento. Podem sair, passar poucos dias juntos num hotel, porém morar juntos pode ser um inferno para a pessoa ordeira.

Para o bagunceiro, a ordem não o incomoda em nada, pois até facilita sua vida. Mas para a pessoa ordeira, mesmo sem nenhuma mania de limpeza ou rituais de ordenar tudo, o que poderia ser engraçado no começo torna impossível a convivência.

De normais a psicóticos todos somos "normóticos" me dizia um professor de psicoterapia, parafraseando a já conhecida frase "de médico e louco, todos temos um pouco". Mesmo os bastante alterados psiquicamente podem exercer funções "normalmente" desde que não se mexa com os seus problemas.

Assim também são os relacionamentos. Se os pontos atingidos pelo cônjuge não lhe for essencial, ela pode manter bom relacionamento, por tempo indeterminado. Mas este precário equilíbrio não comporta a vinda de filhos e o casamento em geral acaba afundando.

BOM NAMORO NÃO GARANTE CASAMENTO FELIZ

O primeiro degrau para o casamento ou a primeira fase do relacionamento maduro é o namoro.

O namoro que enlaça os namorados **não é um vínculo eterno**, indissolúvel, mesmo que bradado aos quatro ventos e sussurrado nas intimidades. É uma etapa necessária para se chegar ao compromisso total de formar uma família. O namoro é uma experiência relacional diferente, de entrega total, mas sem comprometer tanto uma com a outra pessoa nem envolver nem os amigos nem os familiares.

Em geral, as pessoas que estão fora de um namoro têm a melhor percepção do destino desse namoro. Os enamorados estão suficientemente envolvidos no subjetivo para perderem a objetividade.

Essas outras pessoas percebem mais nítida e precocemente que o namoro não vai dar certo, mesmo que os namorados jurem de pés juntos que "um nasceu para o outro", que um é "alma gêmea do outro", que "um completa o outro" ou até que "um é cara-metade do outro".

O namoro de jovens é bem diferente de namoro de adultos ex-casados. Faz parte do autoconhecimento dos jovens, da sua capacidade de amar, do relacionar-se com diferentes pessoas em diferentes níveis, desnudar-se numa entrega total ou camuflar-se estrategicamente para conseguir o que quer de uma pessoa que não seja nem pai nem mãe.

É nessa etapa do namoro que os jovens descobrem a diferença entre cativar, seduzir e conquistar – que vai lhes servir em todas as áreas para toda a sua da vida.

CATIVAR, SEDUZIR E CONQUISTAR

Uma pessoa pode cativar outras pessoas sem perceber, pois é seu modo natural de ser que atrai outras pessoas. Ele pode tentar seduzir, isto é, exagerar em algumas qualidades, para atrair alguém que lhe interessa ou ainda tentar conquistar quem não a quer, através da superação e resistências da outra pessoa. Cada **jovem está vivendo sua onipotência** e quando se apaixona, investe tudo, o que tem e o que ainda não tem no relacionamento.

Há poucos anos um casal de namorados, jovens, disseram para seus pais que iriam viajar no final de semana com amigos e foram os dois para a periferia de S.Paulo, viver o "amor e uma cabana", a pé, de mochila nas costas. Foram brutalmente assassinados por marginais que moravam na região, sabidamente perigosa. Uma aventura romântica e ingênua que virou uma tragédia nacional.

Arroubos como esse são próprios da juventude porque o cérebro deles ainda não está completamente formado, principalmente nas partes que regem a responsabilidade, a previsão das consequências, o custo e o benefício de suas ações etc.

Os jovens passarão para outras fases, muitas mudanças ocorrerão e os namorados precisam ser muito saudáveis para manterem o relacionamento amoroso. Um dos segredos para esse sucesso é saber trabalhar as novidades que surgirem numa atitude aberta a mudanças respeitando as individualidades de ambos.

Um casal enamorado forma uma unidade tão forte a ponto de lutar cada pessoa contra os seus próprios pais, de abandonar a moradia, de mudar de emprego, de cidade ou de país. O verdadeiro casal se une contra tudo e todos que possam se opor a ele ou atrapalhar os seus planos.

NAMORO QUE NÃO DÁ CERTO

Não é correto dizer que o namoro não deu certo quando os namorados se separaram. Faz parte do namoro seguir em frente, quando os namorados se relacionam bem, e romper se não se relacionarem bem. A separação está certa para namorados que não se relacionam bem. **Não é adequado permanecerem** juntos não se relacionando bem.

Os namorados deixam tudo e todos para trás ao se encontrarem para namorar. Estudos, família, amigos ficam menos importantes que o namoro. Portanto, se os namorados se dedicam com absoluta exclusividade e, mesmo assim, ou por isso mesmo, desentendem-se, brigam, magoam-se, é porque são imaturos ou não se combinam de verdade.

Os namorados podem deixar seus problemas em casa e sair com disposição e disponibilidade para namorar somente. Quem tem problemas em casa e leva-os para o namoro, é porque inclui a pessoa como parte dos problemas. Se somente a família fosse problemática, o(a) namorado(a) não teria problemas no namoro, pois os problemas ficariam em casa com a família. Não se pode acreditar numa pessoa que negue ser problemática, que seja inocente, que a família é que "pega no seu pé", se ela deixa "tudo para trás" para se dedicar totalmente ao namoro e aqui também surgem problemas.

O namoro idealizado dentro de cada um pode não bater com a realidade que o relacionamento vive. Um tem vontade própria e não faz exatamente como o outro espera que faça e o faça espontaneamente, isto é, adivinhe o seus pensamentos e fantasias.

MORRER DE AMOR

A história tem provado que a etapa na qual os rompimentos são comuns e mais frequentes é a do namoro. Casamento não é eterno, mas também não é uma farra diária, nem namoro é uma farra diária, mas também não é eterno.

Tão forte e tão vulnerável é o amor entre namorados que basta surgir uma desavença que as repercussões atingem imediatamente outras áreas (estudo, trabalho, esportes etc.), relacionamentos (familiares, amigos e colegas) e até mesmo as atividades básicas do dia a dia (comer, dormir, tomar banho etc.).

Não somente os adolescentes vivem ou morrem de amor. Há casais de adultos que não conseguem separar-se e acabam se destruindo, até mesmo matando-se um ao outro depois de casados.

Há uma história de amor e ódio tão forte entre um casal que não conseguiu se separar (pelo amor que existia) e, no entanto também não conseguia viver junto (pelas brigas que ocorriam por qualquer motivo). É a envolvente história do casal Rose no filme *A guerra dos Roses*[47].

Há **desencontros amorosos**, isto é, amores não correspondidos ou amor que acaba para uma pessoa só, que levam o apaixonado a matar a sua amada. São crimes violentos, cometidos mais por homens que por mulheres, por adolescentes e por adultos – e que acabam virando manchetes trágicas em todas as mídias.

Quando os casais se matam é porque chegaram ao extremo da alteração psicológica. O mais saudável é que as pessoas rompam o vínculo de casal. Isso significa que as individualidades desapareceram na união do casal entre si.

[47] Direção de Danny de Vitto, 1989.

CASAMENTO: RESULTADO DE BOM RELACIONAMENTO

Há uma escala: paquera, namoro, noivado, casamento – que começa na individualidade de uma pessoa para chegar à complexidade de uma família. Esses padrões de crescimento progressivo sempre existiram e não há outro caminho na nossa cultura. Cada pessoa saudável passa por essas importantes etapas para constituir uma família saudável.

Os casamentos arranjados pelos pais podem atropelar uma ou outra etapa, como a da paquera e do namoro. Entretanto, quando os noivos são desde crianças preparados para casamentos arranjados, porque ele faz parte de um padrão cultural, os noivos fazem os seus particulares aquecimentos que substituem os namoros e noivados.

Pela tradicional cultura japonesa existem os *miaiseiros,* pessoas que procuram famílias onde há potenciais noivos(as) e apresentam os pais dos noivos (que acertam ou não o casamento dos seus filhos). Esta é a forma do *miai*, casamento arranjado.

O *miaiseiro* toma o cuidado de encontrar famílias com semelhanças e afinidades no nível cultural, financeiro, educacional, saúde física e mental, para fazer a proposta de casamento dos seus filhos. Atualmente os *miais* estão desaparecendo drasticamente.

O que para uma cultura pode parecer absurdo, para outra soa natural. Há **sucessos e fracassos dos casamentos** independentemente da forma de sua realização. O que valida ou não o casamento é a saúde psíquica e relacional das pessoas nele envolvidas.

CASAMENTO E FILHO PRECOCES

Casamento precoce, isto é, sem a devida preparação do casal e gravidez precoce, sem a devida maturidade do casal, são os atropelos mais comuns, nos dias de hoje.

Não falo da cerimônia religiosa nem do ato civil do casamento, mas da maturidade individual (psicológica) e relacional para colocar filhos no mundo.

É necessária a cerimônia religiosa do casamento? Necessária não é, mas pode ser muito importante não somente para os nubentes, mas para as famílias dos nubentes, amigos e parentes. Há uma consagração espiritualizada e compartilhada de uma fase da vida passando para outra. É o sucesso do relacionamento a dois que deu certo e inicia-se agora uma nova etapa.

É bom **não encomendar filho** antes dos dois anos da vida nova, de casados. É um tempo necessário para o casal se conhecer além das festividades, farras, viagens e baladas e chegar à convivência diária quando vão construir uma verdadeira integração entre eles.

Dois anos também é o tempo, em geral, que uma paixão leva para passar, deixar de existir, após acometer o casal. Se o casal era saudável e consistente, o amor sobrevive. Quando a paixão for embora e levar consigo tudo o que é bom e o prazer do casal, restará o nada, que não sustenta um casal.

Se o filho vier antes, os pais grávidos têm que apressar o desenvolvimento natural dos papéis de mãe e de pai, para estarem prontos quando o filho nascer.

E nenhum filho acaba com os conflitos de casal. Pelo contrário, acirra. Se uma pessoa já não tinha disposição nem disponibilidade para o seu cônjuge, ela o terá muito menos para a construção de um ninho e piora com o nascimento de um filho.

PRESSA DOS PAIS, PREJUÍZO DOS FILHOS

A pressa juvenil do casal em ter filhos já pode revelar a falta de maturidade de esperar o tempo adequado para tê-los. Se por si o casal não puder esperar, como pode querer saber educar seus filhos?

Não é por serem biologicamente pais que eles ficam capacitados para serem também educadores. Quem não desenvolver a **paciência para esperar** o tempo certo, também não a terá para educar uma criança ou atender as necessidades de um bebê. Educar é construir valores ao longo do tempo, e os resultados surgem a longo prazo.

Em geral casais apressados acabam se separando com a vinda do filho. Quase 90% das mães adolescentes cuidam do filho sem o parceiro, apurou a pesquisa realizada pelo Programa da Saúde da Mulher da Secretaria Estadual da Saúde de São Paulo e acrescenta o médico, obstetra, palestrante e escritor Malcolm Montgomery: *Nas mulheres que resolvem assumir a gravidez e aceitam o pesado rótulo de 'mãe solteira', são grandes as chances de abandono escolar e consequentemente prejuízo para o futuro*[48].

Não é o filho o responsável pela separação. Ele desencadeia a separação que cedo ou tarde iria acontecer, ou seja, ele confirma uma separação preexistente ou precipita a que iria brevemente acontecer.

O jovem pai, bem diferente da jovem mãe, não assume ser pai e quer continuar a sua vida de solteiro, mais preocupado em curtir a sua vida do que educar um filho, ou olhar para o futuro, mesmo que esteja muito próximo. Aliás, o que está fora de tempo é a gravidez.

[48] Malcolm Montgomery. *...E Nossos Filhos Cantam as Mesmas Canções*, p. 93.

PAI QUE NÃO ASSUME FILHO

Atendi uma família que resolveu camuflar toda a situação da filha com gravidez precoce. O pai sumiu, seus pais e a filha grávida saíram da cidade no começo da gravidez. Voltaram para casa como se a avó fosse a mãe. Assim o avô passou a ser pai e a filha recém-mãe voltou ao *status* de filha como se não tivesse engravidado. O drama familiar foi a preocupação com parentes e amigos. A filha não suportou deixar de ser mãe, assumiu seu filho e a complicação toda veio à tona. A família resolveu mudar para outro estado, onde iniciaram a vida com nova história. Os avós voltaram a ser avós e a mãe-jovem assumiu a maternidade, mas foi transformada em uma viúva com filho que voltou a morar com os pais. Não tive mais nenhuma notícia deles. Talvez eu fosse um arquivo vivo que precisou ser queimado.

Um **pai que se transforma** tão facilmente em ex-pai sem nenhum remorso também não vai se preocupar em como estarão seu filho e sua ex-mulher.

Atendi um adulto de sucesso profissional que foi um filho precoce, cujo pai sumiu sem nunca mais lhe dar notícias. Um dia um homem apareceu dizendo ser seu pai biológico e precisava de dinheiro para montar um negócio. Ele mesmo chegou à conclusão de que, se de fato esse homem fosse seu pai, ele estaria errando pela segunda vez com o filho, o que beira falta de caráter. Não chega o mal que fez quando jovem, renegando o papel de pai, agora, depois de velho, vem aproveitar-se de ser pai (que não foi) para criar mais problemas? Quem lhe garante que esse ex-pai não erraria uma terceira vez com ele?

FILHO NASCE, MAS FAMÍLIA NÃO SE FORMA

Nem sempre quando nasce um filho forma-se uma nova família. É o que costuma acontecer em alguns casos de gravidez precoce. No Brasil, entre as jovens de 15 a 17 anos, 7,3% delas tem pelo menos 1 filho. Fortaleza é a cidade do Brasil com o maior índice de gravidez precoce: 9,3%.[49]

Nos Estados Unidos, segundo dados estatísticos, há quase 1 milhão de gravidezes precoce ao ano. De cada 10 jovens, 4 engravidam antes dos 20 anos e 40% de mães adolescentes têm menos de 18 anos.[50]

A biologia deu condições aos humanos para somente constituírem família quando estiverem hormonalmente amadurecidos. Existe, porém, o descompasso entre os desenvolvimentos corporal e o psicossocial. Isso significa que as mulheres não podem biologicamente engravidar antes da menarca nem depois da menopausa (envelhecimento). E os homens não têm espermatozoides antes da puberdade, e na senilidade, eles serão inférteis.

Por isso, mesmo em condições biológicas, os jovens ainda **não têm maturidade** psíquica nem condições socioeconômicas para engravidar.

O desenvolvimento psicossocial é mais lento que o biológico e sofre alterações conforme a cultura vigente. A adolescência pode ser antecipada como na geração *tween*[51], e postergada como na geração carona[52].

Geração *Tween* é composta por crianças pela idade biológica, entre 7 e 12 anos, que são consumidoras de produtos consu-

[49] Google: www.ibge.gov.br/home/presidencia/noticias/, (Acesso em 9/9/08).
[50] http://www.watchtower.org/t/20041008/article_02.htm
[51] Veja no livro *Adolescentes*: Quem Ama, Educa!, p. 171.
[52] id., ibid., p. 40.

midos por adolescentes. É uma adolescência precoce alimentada e financiada pelos pais. Essa geração tem também sua sexualidade antecipada, e as meninas podem sofrer gravidez precoce após a menarca.

Geração carona é composta por filhos já em condições de trabalhar, com diplomas de cursos técnicos e/ou faculdades, mas que vivem em casa, sustentados pelos seus pais como adolescentes. Essa geração tem, em geral, vida sexual bastante ativa e é quando formam os casais, são muito férteis biologicamente.

MATURIDADE SEXUAL PRECEDE A PSICOLÓGICA

Não tem condições psicossociais de ter filhos quem ainda está na dependência dos seus próprios pais e não tem capacitação financeira para arcar com as despesas, mesmo que esteja fisicamente amadurecido.

Fisicamente, **a participação do homem** em toda a gravidez é somente na relação sexual, por meio dos seus espermatozoides. O homem não sofre nenhuma alteração corporal com a gravidez. Aliás, ele nem percebe se engravidou, a sua parceira sexual.

Na maioria quase absoluta das vezes, a intenção masculina é de sentir o orgasmo, o prazer sexual, e não de engravidar, a não ser quando planejam juntos a natalidade. Na mulher, o orgasmo não é necessário para que ela engravide. Basta que esteja nos seus dias férteis.

O estrogênio faz o ovário liberar o óvulo, célula sexual feminina, no processo chamado ovulação. Este é o óvulo que vai ser encontrado por um dos 300 milhões de espermatozoides que um homem ejacula no orgasmo.

O encontro do espermatozoide com esse óvulo é chamado de fecundação. Nesse encontro o óvulo se transforma em ovo, que vai se fixar no útero que se preparou para recebê-lo. Essa fixação se chama nidação.

Se não houver a fecundação, o óvulo e todo o preparo que o útero fez para a nidação são eliminados através da menstruação. É por isso que, ao engravidar, a mulher deixa de menstruar. Se menstrua é porque não houve a gravidez.

Como a participação masculina na gravidez é mínima, nem o homem tem vontade de engravidar ninguém para não complicar a sua própria vida, ele se envolve emocionalmente muito pouco com a gravidez. Pode ainda atribuir a responsabilidade da gravidez somente à mulher. Portanto é bastante comum o recém-pai fugir, sumir, não assumir nada...

PAIS IMATUROS

Também não é fácil formar uma família, mesmo nascendo um filho, porque depende da possibilidade de cada um dos cônjuges serem guindados para os papéis de pai e mãe.

Basta que um dos dois cônjuges não atinja esta maturidade, ou tenha dragões adormecidos debaixo de sua cama da paternidade ou maternidade e pronto, a vida de família pode se complicar. Sobre tais dragões falo adiante.

O mais comum é o homem não estar preparado para ser pai. Por falta de maturidade, porque ele não conseguiu sair do relacionamento em corredor com sua esposa. Falo adiante sobre esse tipo de relacionamento.

O marido passa a ter ciúme do relacionamento que existe entre a sua esposa e o filho de ambos, como se somente ela se transformasse em mãe e ele ainda permanecesse cônjuge. Não se envolve com o filho, chegando até a competir com ele.

Para a mulher, a maternidade é psicobiológica. Há muitas transformações biológicas que alteram seu modo de pensar e de existir. Frequentemente o sentimento de maternidade torna-se maior que a autopreservação.

A grávida tem nove meses para se preparar psicologicamente para o parto, tempo este dado pelas 40 semanas de gestação biológica. É o tempo que o nenê leva para ficar pronto, desde a hora da fecundação. É também quase natural que a recém-mãe sinta-se totalmente responsável pela sobrevivência do nenê. A amamentação, os primeiros anos de vida e o conviver tão intimamente com o filho aumentam de tal forma esse sentimento que à mãe custa desapegar-se do filho pelo resto de sua vida.

Não é à toa que, em geral, uma grávida não deseja fazer aborto, por mais que o seu companheiro ou seus parentes o queiram. Mesmo que a gravidez seja resultado de um estupro, o feto dentro da sua barriga nada tem a ver com o que aconteceu, argumenta, não sem razão.

AMADURECIMENTO CEREBRAL PARA SEREM PAIS

Este sentimento reforça o instinto de perpetuação da espécie que se faz presente na mulher desde que ela ficou grávida. Quanto maior a evolução da espécie, mais esse sentimento está presente, pois mais dependente o filho nasce.

O feto nasce com 25% do cérebro amadurecido. O restante vai crescendo fisicamente até o adolescente atingir o final do seu estirão. Este final é marcado na mulher pela chegada da menstruação e no homem quando engrossa a voz.

O **amadurecimento funcional do cérebro** (especificamente o córtex orbitofrontal e o sulco temporal superior), vai ocorrendo até os 30 anos, em média, como demonstram os estudos de neurofisiologia em humanos.[53]

A maturidade funcional do cérebro humano chega em torno dos 24-26 anos de idade, quando se torna mais responsável e faz prospecções para o futuro com maior seriedade.

Enquanto a mãe vai vivendo tão intensamente toda essa evolução, o pai pode estar totalmente ausente, meio presente, até se fazer presente e participativo estimulado pela sua esposa ou até mesmo pelos seus próprios pais.

O instinto de sobrevivência no homem torna-se mais forte quanto ele assume a paternidade. Quanto mais ele acompanhar e educar o seu filho, tanto maior será o seu sentimento paterno. Com isso aumenta o instinto de preservação da espécie.

Quem é mãe ou pai se preserva muito mais do que quem não é. Os pais tornam-se tão responsáveis pelos seus filhos que não se arriscam tanto em cada ação, procuram moradia com maior segurança e salubridade do que se fossem sozinhos.

AMADURECIMENTO RELACIONAL

Num relacionamento "em corredor", o que acontece com uma pessoa provoca uma reação na outra pessoa. É esta interação que individualiza o corredor, porque guarda segredos de que outros nem sequer suspeitam.

Quando nasce um filho, forma-se um triângulo. Em cada ângulo está uma pessoa: o pai, a mãe e o filho. A triangulação é saber dividir-se em dois ou mais pontos para usufruir de duas companhias. Está mais forte que antes, pois a pessoa fica mais amadurecida e conta com outro a mais do que antes quando estava em corredor.

[53] Suzana Herculano-Houzel. Vida em Sociedade. Em: *O cérebro em Transformação*, p. 162.

É importante salientar que para o bebê há dois corredores: bebê-mamãe e bebê-papai. Percorrendo seu desenvolvimento natural, o bebê passa a perceber o que acontece ao seu redor. Ele repara que a mãe reparte as atenções de que ele considerava ser o único a receber, e se divide com outra pessoa. Ele acha que está perdendo a atenção que era para ele. É preciso que o bebê amadureça suficientemente para perceber que existe um corredor entre papai e mamãe.

Os primeiros sinais dessa percepção é querer ficar entre os dois, numa tentativa de controlar o que se passa entre eles, ou o que é mais comum, chamar a atenção para si. Pode acontecer também de o pai ficar com ciúme do relacionamento que há entre sua esposa e seu filho, ou da mãe, entre seu marido e filho dele. É como se alguém tivesse sido excluído(a) do triângulo.

A saúde no relacionamento triangular é poder conviver com os dois ao mesmo tempo ou com um de cada vez e aceitar que os dois outros queiram também ficar somente entre eles. Não cabe a ninguém impor a sua companhia a outrem, mas, sim, cativar a outra pessoa fazendo-a sentir-se tão bem na sua companhia que ela queira sempre repetir a convivência.

PAI (MÃE) COMPETINDO COM O BEBÊ?

Um dos pais **sentir ciúme do filho** pode ser desde imaturidade relacional até problemas pessoais, que são despertados na situação de nascimento de um filho. A intervenção profissional de um psicólogo ou psiquiatra pode ajudar muito nessas situações.

Entretanto, muitas vezes não é somente o estímulo presente, o nascimento do bebê, que é totalmente responsável pela crise no marido ou esposa. O nascimento entra em sintonia com o passado do marido, ou esposa, e desperta os fantasmas adormecidos dentro dele(a).

É muito útil que cada ser humano entenda pelo menos um pouco como funcionam os problemas pessoais na sua mente. Valho-me dos conhecimentos de um dos maiores psicoterapeutas de família da atualidade, o professor Mony Elkaïm, marroquino radicado em Bruxelas.

> *Nosso passado é feito de mitos, de relatos e de regras, transmitidos de geração em geração na nossa família, e também, mais amplamente, no nosso ambiente.*
>
> *(...)*
>
> *Nossas vivências de outrora se parecem com dragões adormecidos sob nossa cama... um dia, certo acontecimento toca a música certa para acordar o dragão. E eis que ele desperta, perturbando o nosso universo.*[54]

Quando tais dragões são despertados, eles assolam a mente do pai, tirando-o da realidade presente e levando-o a ter comportamentos defensivos contra o seu próprio passado.

Não podemos considerar um único culpado na desestruturação da família recém-formada. Hoje a família passou a ser abordada como um sistema humano e as interações que ocorrem entre os seus membros são sempre recíprocas. O paciente deixa de ser um indivíduo: ele é uma relação.

QUEM MANDOU O NENÊ NASCER?

Provavelmente os problemas do jovem pai não surgiram antes para esta jovem mãe, por ela ter cuidado dele como agora cuida

[54] Mony Elkaïm. *Como Sobreviver à Própria Família*, p. 37-38, 55.

do bebê. Talvez os problemas surgissem antes, se ela não lhe dedicasse atenção exclusiva.

A jovem mãe antes de ser mãe já deveria ser maternal, sempre cuidando de alguém. Para ela, amar é sinônimo de cuidar. Talvez ela não aceitasse outro namorado que não fosse tão filial. Ou seja, houve o relacionamento entre os dois, que eram cônjuges, mas poderiam funcionar como mãe e filho, guardadas as devidas diferenças.

Com tudo o que foi até agora escrito, podemos perceber que não há como um pai disputar com o filho as atenções da esposa. O pai é totalmente diferente do seu filho recém-nascido, que precisa não só da mãe mas também dele. Coitada dessa mãe, que vai ter que dividir suas atenções com dois "filhos".

Para piorar a situação, esse filho extratemporão já veio "adulto", vestido de adulto, e agora pode "fugir de casa". Pode ocorrer uma espécie de "birra" fora de lugar e de época e voltar a morar com a sua própria mãe, seu refúgio infantil.

Aí, nem a esposa nem o filho terão condições de lidar com os dragões despertados no recém-pai. **Não é o nascimento do filho** que separou este casal. O casamento já estava bastante desequilibrado, e a vinda do nenê foi a pressão que faltava para ele se romper.

Mais sofrida ainda passa a ser a mãe do recém-nascido, pois além de ela perder o marido, seu filho também "perde" o pai.

O pai pode ter sido um excelente namorado, noivo e cônjuge, porque não havia "dragões" sob sua cama. Mas eles estavam adormecidos sob a cama do papel do pai e foram despertados pela chegada do nenê.

PARTE IV

PESSOA DE ALTA PERFORMANCE

Todos os seres humanos nascem com grande potencial para desenvolver Alta Performance Pessoal.

Uma das características do ser vivo é buscar sobreviver, numa incessante busca para saciar por necessidades fisiológicas básicas. Isso basta para todos eles, menos para o ser humano, que além da saciedade busca a felicidade.

O ciclo necessidade-saciedade satisfeito deixa até os animais mais sossegados. Entretanto, o ser humano, por ter inteligência e desenvolvido uma civilização, acrescentou vários itens a esses ciclos para atingir Alta Performance.

Sofisticamos e criamos regras e qualidades do bom e bem viver que partem da simplicidade do mais humilde ao requinte do mais rico, não só na área financeira mas em praticamente tudo na vida.

Partindo da necessidade mais básica para a mais sofisticada, procurei abordar vários temas importantes. É claro que havendo tanto seres pensantes, dificilmente poderia chegar a uma escala de valores que fosse unanememente aceita.

Dirigido mais por uma questão didática, que não aceita bagunça, apresento uma sequência básica. De acordo com os interesses e o quadro de valores internos de cada leitor, as prioridades podem ser diferentes, mas com certeza haverá uma concordância em considerá-las importantes.

Sobreviver

TODOS OS SERES VIVOS SOMENTE MORREM QUANDO NÃO CONSEGUEM MAIS LUTAR PARA VIVER. Eles não procuram propositalmente a morte, a não ser algumas espécies de insetos, em que o macho se oferece a ser devorado pela fêmea após fecundá-la.

O ser humano depende não só da luz mas da comida, do oxigênio, da água, dos relacionamentos e de tantas outras necessidades que se tornou complicado saber quais são os mais importantes e quais os desnecessários.

O que rege tais comportamentos é chamado basicamente de instinto de vida. Sem esse instinto, provavelmente morreríamos precocemente. Além desse instinto, existe o outro que lhe faz um contraponto, o instinto de morte. Vou comentar esses instintos.

INSTINTOS DE VIDA E DE MORTE

Qualquer ser humano traz dentro de si duas forças opostas que Sigmund Freud, pai da psicanálise, chamou de Instinto de vida e Instinto de morte.

> *Freud fala de instintos de vida e instintos de morte, um que tende manter a vida e outro que tende à destruição. A energia psíquica... de vida é*

a libido, ... No instinto de morte aparecem os comportamentos agressivos, a dominação e subjugação.[55]

O querer-viver é que faz as pessoas se preservarem e se desenvolverem com maior segurança em busca de qualidade de vida e felicidade.

É o Instinto de vida que rege a nossa vida sexual, o querer não se arriscar a não ter comida quando a fome chegar, o querer bem ao companheiro, o prover dinheiro suficiente para os dias difíceis, a ter um lugar onde se possa dormir acompanhado, tranquilo e seguro, a saciar todos os nossos instintos vitais.

O Instinto de morte está presente nos exageros de prazer, aventuras e sensações fortes que põem a vida em risco, o que significa que podem levar à morte. As depressões, desânimos, perdas de crenças e perspectivas futuras sem lógica diminuem a autoestima e consequentemente ligam menos para a vida, chegando a criar ideias de suicídio.

Usuários crônicos de drogas e pessoas que permanecem em relacionamentos destrutivos têm forte Instinto de morte, que está presente também no prazer associado ao risco da morte, como nos esportes radicais.

Todos sabem que **quem vence a última batalha** é sempre a morte. Se não morremos, é porque a batalha pela vida não foi a última. A pulsão pela morte faz a pessoa se arriscar outra vez. Vive melhor quem aprende a lidar com a morte, porém, sem provocá-la.

[55] http://br.geocities.com/psrossi/aula04psicanalise.html (Acesso em set. 2007).

O ENIGMA DA ESFINGE

Enquanto estamos vivos, podemos escolher três estilos básicos de vida: o dependente, o instintivo e o independente.

Faz parte da vida do ser humano a movimentação entre a dependência e a independência. Nascemos totalmente dependentes de outros humanos, nossos pais, evoluímos para a independência e envelhecemos com dependência progressiva dos nossos filhos ou substitutos, proporcional à independência que seguimos perdendo.

A mitologia grega retrata bem esta sabedoria da vida, e mostra como é cruel com quem não a tem. Édipo, divulgado pelo mundo por Freud, por meio do complexo que leva o seu nome, deparou com a esfinge na entrada da cidade de Tebas.

> *A Esfinge devorava quem não decifrasse o seu enigma. Todos os que tinham tentado decifrá-lo foram em seguida devorados. Pagaram com a vida a sua ignorância. A Esfinge, monstro com rosto e busto de mulher, corpo leonino, asas e cauda de dragão, perguntou a Édipo: "Qual o animal que tem 4 patas de manhã, 2 ao meio dia e 3 à noite?"*
>
> *Édipo respondeu: "É o homem, pois ele engatinha quando pequeno, anda com as duas pernas quando é adulto e usa bengala na velhice." A Esfinge, derrotada, pulou para um precipício, onde jogava os ossos das pessoas que devorava, e morreu. Édipo foi recebido com honras em Tebas...* [56]

Do nascer ao tornar-se adulto é o período no qual a pessoa tem que se preparar para atingir a autonomia comportamental e independência financeira. Quando deixa de engatinhar

[56] http://www.portaldascuriosidades.com/forum/index.php

(4 patas) e fica em pé (2 patas), a pessoa dá o primeiro grande passo para a independência. Na velhice, a pessoa precisa de uma bengala (3 patas). Ter boa performance é ter qualidade de vida nessas 3 etapas.

CICLO BIOLÓGICO DA VIDA PESSOAL

Além do ciclo biológico da vida que é o **nascer-crescer-amadurecer-reproduzir-envelhecer-morrer** é importante considerar o seu estilo, isto é, a maneira como uma pessoa vive estas etapas, nem sempre nesta ordem, e as transições entre elas.

Estas etapas e suas transições estão presentes nos diversos temas deste livro. Em geral as etapas são sucessivas, e o sucesso de uma delas, predispõe ao sucesso da outra, mas nada impede que possa também ser atingido pelo insucesso.

O insucesso de uma etapa não significa que a próxima etapa seja também um fracasso, desde que a pessoa queira, invista e aja em busca do sucesso. O poder de aprender, absorver as mudanças e criar soluções é imenso no ser humano que tenha o estilo cidadão de vida.

Conflitos são inerentes à convivência humana, assim como, poder resolvê-los. Alta Performance não significa ausência de conflitos, mas a capacidade de buscar soluções. Todos os conflitos nos ensinam algo. Um conflito pode ser bom quando, após a sua resolução, todos ganham. Como escreve a psicóloga Maria Tereza Maldonado: *Um conflito é bom quando conseguimos atacar o problema sem atacar as pessoas.*[57]

São basicamente três as maneiras (estilos) segundo as quais uma pessoa pode viver: como vegetal, como animal e como

[57] Maria Tereza Maldonado. *O Bom Conflito*: Juntos buscaremos a solução, p. 43.

cidadão. Vou destacar somente os dois primeiros estilos, pois o terceiro é o tema desde livro.

ESTILO VEGETAL DE VIDA

É um estilo de vida de uma pessoa que, mesmo sendo suficientemente capaz de fazer algo sozinha, espera, pede e/ou exige que outra pessoa o faça por ela.

No estilo vegetal, uma pessoa sentada na sua poltrona funciona como se fosse **uma planta num vaso**. Ela não sai da poltrona e pede ou espera que outras pessoas lhe sirvam, mesmo que possa levantar e se servir. Um nenê, um senil e uma pessoa em coma, porém, são estados involuntários de vida e não pessoas-planta.

O estilo vegetal cresce dentro de uma pessoa porque há uma pessoa que por amor lhe serve, geralmente a mãe. É o clássico "folgado" que explora um "sufocado" e equilibra-se nesta equação existencial: "embaixo de um folgado, tem sempre um sufocado!".

Atendi um púbere que não sabia amarrar o cadarço do seu tênis nem conseguia se expressar direito. Os pais sempre lhe amarraram os cadarços e "adivinharam" o que ele queria sem lhe que ele tivesse que pedir nada...

Adolescentes há que na própria casa são uns folgados e na dos outros são exemplos de comportamentos adequados a ponto dos seus pais receberem elogios. Então por que eles são plantas em casa? Porque têm seus servidores.

Eles "estão" folgados mas não os "são". Basta que os sufocados não mais atendam suas exigências para que eles mesmos comecem a movimentar-se. Fazer se aprende fazendo e não simplesmente olhando.

A pessoa-planta tem baixa performance porque acaba não aprendendo a fazer o que precisa. Sujeita-se a receber do jeito que o serviçal lhe entrega e não como ele próprio poderia fazer a seu gosto.

ESTILO ANIMAL DE VIDA

É o estilo "eu quero, eu faço" sem se perguntar antes "mas, devo eu fazer?". Não seleciona dentro de si qual o comportamento mais adequado e ético. Faz o que tem vontade de fazer e pronto.

A fome e a gula estimulam a vontade de comer. Pode uma pessoa comer toda hora que tiver vontade? Poder, pode. Mas não deve! Pois se comesse **tudo sem nenhum controle** ficaria obeso em pouco tempo.

Pode gritar com a mãe? Pode, mas não deve! Gritar é um destempero e demonstra falta de educação, de polidez necessária para boa convivência entre as pessoas. Nenhuma mãe merece gritos de ninguém, muito menos de um filho.

Pode não estudar? Pode, mas não deve. Uma pessoa sem estudos não constrói conhecimentos dentro de si suficientes para fazer um bom dinheiro que traga boa qualidade de vida para si e para os seus familiares. Conhecimentos melhoram muito a sua performance.

É do instinto do animal comer enquanto houver comida e garantir-se sobre os mais fracos. Grupos humanos se beneficiam pelo coletivo, onde os mais fracos são cuidados e não abandonados como na Lei da Matilha. Pode uma melhor opção ou caminho a tomar pelo grupo surgir do fisicamente mais fraco, porém com maior conhecimento. A Alta Performance está em aliar a força física à dos conhecimentos.

Pessoas que maltratam outras, que transgridem o combinado para benefício próprio, que abusam do dinheiro, da força física ou da astúcia para explorar os indefesos podem estar funcionando mais com o instinto animal do que com civilidade.

ESTUDAR É UMA OBRIGAÇÃO

Os pais se acostumam tanto a saciar a dependência fisiológica do recém-nascido, num amor tão grandioso, que lhes parece que seus filhos são bebezões mesmo já adultos. Estes pais usaram baixa performance educativa.

O objetivo de uma educação é fazer com que o filho atinja autonomia comportamental, independência financeira e responsabilidade social. Bebezões são regidos pela vontade e não pela razão. Portanto, uma das maiores dificuldades dos filhos é não querer estudar.

Os filhos têm condições de parar de estudar porque a ação final do estudo só depende dele. Mas eles têm que aprender que não devem parar e os pais não devem aceitar que eles parem.

Uma pessoa sem estudos não consegue acompanhar o que a vida moderna exige, vai simplesmente sobreviver e **excluir-se do meio** no qual foi criado.

Quem não tem fibra nem para estudar tem os músculos do dever frágeis e não conseguirá assumir qualquer compromisso. Será um adulto semi-independente, ou seja, alguém vai ter que ajudá-lo a sobreviver nas situações de necessidade.

Pais que ficam condoídos pelos esforços que o filho faz então permitem que parem de estudar, longe de ajudá-lo estão ceifando a possibilidade de vencer na vida e promovendo a sua exclusão socioeconômica.

Os pais não têm como controlar o que o filho faz longe de suas vistas, mas podem acompanhar resultados. Sem méritos ele perderá privilégios como mesadas, passeios, baladas etc. Por melhor que um filho esteja sem estudos, estaria melhor ainda se estudasse.

FILHOS ENSINAM PAIS

A Alta Performance só é conseguida quando uma pessoa usa as competências máximas para atingir seus objetivos, cada vez mais gastando menos tempo e menos recursos. Quanto mais conhecimentos tiver, mais competente será, portanto terá também Alta Performance.

Há pais que dão computadores e pagam uso da internet para os filhos, mas ignoram o que os filhos fazem. Essa ignorância pode estar prejudicando até a sua própria carreira profissional, deixando de agregar valor a ela. Se os pais nada entendem de internet está na hora de pedirem auxílio ao filho que vive conectado. Em vez de pedir no estilo vegetal ou exigir no estilo animal, os pais devem como cidadãos pedir ao filho que lhe ensinem como pesquisar.

Quando um filho percebe que um pai "que sabe tudo" ainda quer aprender, ele capta o quanto **é possível e desejável o "aprender sempre**".

Antes da internet, os pais estavam satisfeitos com o que produziam. Somente quando descobrem a internet é que percebem o quanto poderiam estar melhor ainda. Isso mostra a transitoriedade da performance. O que era bom pode virar obsoleto em pouco tempo.

ESTAR FISIOLOGICAMENTE SATISFEITO(A)

A vida é movimento e flexibilidade, e a morte, rigidez e estagnação. Estar satisfeito é a transitoriedade da vida. Uma fome, uma necessidade qualquer mobiliza uma pessoa a saciá-la. Uma vez a fome saciada, vem a satisfação, que vai ser sucedida pela fome outra vez, a insatisfação.

Ninguém que sinta fome, sono, sede, falta de ar ou qualquer outra disfunção fisiológica, pode estar naturalmente satisfeito. A **carência traz sofrimento físico**, piorando a performance de qualquer pessoa. Caso não se alimente, a fome aumenta, e toda a energia da pessoa começa a ser focalizada em localizar comida, diminuindo a performance do que estava fazendo.

No que depende do corpo, ele próprio manifesta suas insatisfações. Se a pessoa não as sacia, a intensidade aumenta até chegar a um nível insuportável. É quando a pessoa tem que interromper o que estiver fazendo para atender às necessidades corporais.

A grande vantagem do homem sobre os animais é a capacidade do pensamento e a construção do conhecimento. Estes não têm limites e quanto mais prazerosos forem, mais podem invadir outras áreas, até mesmo não atender o corpo nas suas primeiras manifestações de sofrimento.

Circuito de Recompensa

No nosso cérebro está o Circuito de Recompensa[58]. Quando algo provoca prazer, o cérebro faz com que a pessoa repita o que fez para reativá-lo.

[58] Suzana. Herculano-Houzel .*Sexo, Drogas, Rock'n' roll... & Chocolate:* o cérebro e os prazeres da vida cotidiana, p. 72-79.

Assim a memória de um prazer pode nos levar a repetir a ação que o despertou. Se esse prazer for maior que outras atividades obrigatórias – estudo, trabalho, compromissos – é muito fácil o cérebro alterar as prioridades, e a busca do prazer passar a ser mais forte que o cumprimento do dever.

Quando a necessidade do prazer passa a ser imperiosa e a sua busca prejudica outras atividades, a pessoa fica escrava do prazer. A droga provoca prazer, e o cérebro pede que se use outra vez para sentir o mesmo prazer. Mas a droga provoca tolerância, ou seja, precisa de mais droga para provocar o mesmo prazer que já sentiu.

Para sentir o mesmo prazer, o usuário tem que aumentar a dose, aumentar a frequência, ou usar droga mais pesada. Quando uma pessoa experimenta drogas, nunca tem a intenção de se tornar viciado, pelo contrário, acha que vai conseguir controlar a droga.

Mas, fazendo-se o levantamento partindo do viciado para o experimentador, verifica-se que a **evolução para todos os vícios** percorreu um caminho muito semelhante.

Quem se entrega a essa pulsão do prazer provocado pelo uso da droga, ou quem não consegue controlar esta pulsão fica escravo da droga, pois ela vicia. Pulsão é uma força que estimula e fortalece uma ação que age em níveis conscientes e inconscientes de uma pessoa.

Características do vício

Não são somente as funções fisiológicas que exigem ser saciadas. O cérebro humano pode desenvolver outras necessidades tão sérias como as fisiológicas, como é a dependência química das drogas, que hoje é considerada doença química. São três as características do vício:

1. **compulsão repetitiva para buscar aquele prazer;**
2. **tolerância aumentada, ou seja, é preciso doses cada vez maiores;**
3. **síndrome de abstinência, o organismo e/ou a psique sente a sua falta.**[59]

Uma pessoa se diz habituada ou de uso social e raramente admite ser viciada na droga, com a finalidade de minimizar o seu uso. As drogas viciam. O que varia é o tempo para transformação do hábito ao vício.

Um usuário mesmo não ficando nunca mais totalmente satisfeito com o uso da droga, não consegue largar o seu uso. Já assisti a pessoas morrendo de câncer de pulmão, ou na pós-cirurgia do coração por doenças causadas pela nicotina, que, mesmo sob ordens e cuidados médicos para não fumar, continuavam fumando.

O que antes era considerado falta de caráter, sem-vergonhice, hoje se sabe **é uma doença química**, e seus usuários são identificados como dependentes químicos. Existem muitos recursos para tratamento do vício com profissionais especializados.

Usuários de droga, por mais que possam ainda ter boa performance no trabalho, e assim fazer dinheiro, não podem estar satisfeitos. Sua performance pessoal está sendo sempre prejudicada, mesmo que ainda não seja percebida no trabalho.

SATISFAÇÃO E SOFRIMENTO: TUDO PASSA!

O autoconhecimento de uma pessoa faz com que ela aprenda a lidar com as suas necessidades sem ser surpreendida por emergências. As necessidades básicas como comer, dormir, respirar, amar somente são emergenciais quando

[59] Veja no livro *Juventude & Drogas:* Anjos caídos, p. 40.

negligenciadas ou doentes, pois elas são totalmente previsíveis por serem cíclicas.

Ninguém se surpreende com a chegada do dia ou da noite. Eles são esperados, portanto não há surpresas. A nossa atenção pode estar tão focalizada em outro interesse que nem percebemos o dia, ou a noite, passar. Quando descobrimos que já é noite, a surpresa é não ter percebido o tempo passar.

A satisfação é um estado transitório que temos que aprender a usufruir. O melhor usufruto é aproveitar bem os estados transitórios. O que não se deve é deixar de usufruir algo por ser transitório.

A transitoriedade serve tanto para sensações boas quando ruins. Há pessoas que querem eternizar as boas, prendê-las e não deixá-las passar. É um erro, pois as pessoas se acostumam e já nem percebem que estão vivendo o lado bom.

Mas os que mais sofrem são os que eternizam as más sensações. O tempo passa e as situações mudam. Mas quem tem má sensação perpetuada dentro de si, projeta esse mal sobre todas as novidades e acaba mantendo os sofrimentos do passado.

TRAUMAS E FOBIAS JUDIAM!

É o princípio dos traumas e fobias. Uma pessoa que tenha fobia a cachorro, um dia sofreu com um deles. Registrou e congelou dentro de si esse sofrimento. Hoje, cada vez que tem a possibilidade de ver um cachorro, descongela e sofre outra vez o que já sofreu.

Não há como uma pessoa com fobias e traumas ter Alta Performance, pois ela **não absorve os novos estímulos**. Estes são lidos e transformados pelo traumatizado em sofrimentos já conhecidos, mesmo que indesejados.

A fome sentida pelo traumatizado é a mesma que o não traumatizado sente. O que diferencia é o interior da pessoa. Quem tem o sofrimento da fome, congelado dentro de si, desperta-o cada vez que sente fome. O não traumatizado sente fome e sabe que esse sofrimento é passageiro e que logo estará comendo.

Os circuitos de recompensa funcionam ao contrário em traumas. O cérebro evita tudo o que possa trazer sofrimentos.

A performance de uma pessoa traumatizada geralmente é menor do que a de uma não traumatizada, pelo desgaste maior de energia e por não focalizar a situação presente.

TER COMPANHIA

Ter companhia significa também ser companheiro. Para ter companheiro, é necessária **uma dose de saúde** como capacidade de suportar opiniões diferentes, ter que saber compartilhar com outros seus pertences, respeitar as oscilações de humor com divisões de tarefas, e tudo o que pode acompanhar os diversos tipos de relacionamentos.

Não nascemos sozinhos. Para nascermos, foi necessária a união do DNA da mãe e do pai. Sozinhos não poderemos cumprir o ciclo vital que inclui ter filhos. Podemos até decidir não ter filhos, viver em plena abstinência sexual pela capacidade que temos de dirigir nossa própria vida.

Há mais pessoas querendo ter filhos, que não os conseguem do que pessoas que não querem ter filhos. Há casais que entram em ansiedade tão forte por quererem ter filhos que não conseguem engravidar.

Esses casais optam então pela adoção de filhos. Quando consegue adotar um, o campo tenso relaxa e o casal consegue engravidar. Geralmente o filho adotivo acaba recebendo o mesmo tratamento dedicado aos não adotivos.

Ter companhia não serve somente para ter filhos. Há poucos anos começaram a surgir cônjuges que decidiram não ter filhos, dizendo querer aproveitar a vida.

DINKS E OUTROS RELACIONAMENTOS

O desejo de levar uma vida boa sem tantas responsabilidades e preocupações pode ser tão intenso que alguns casais nem querem ter filhos. Partiu dos americanos o estudo sobre estes casais, inclusive dando-lhes nomes.

DINK[60], *Double Income No Kids*, significa literalmente duplo rendimento sem crianças. O que une essas pessoas é suas rendas somadas para maior conforto, tranquilidade e qualidade de vida e a proposta de não terem filhos.

Há outras pessoas que se unem como os **DINKYS** (*Double Income No Kids Yet*), literalmente Duplo Rendimento Sem Crianças Ainda. Estes não são tão radicais quanto os DINKS, pois admitem a possibilidade de ter filhos mais tarde.

Há pessoas que se unem como os **DINKWADS** (*Double Income No Kids With A Dog*), literalmente Duplo Rendimento Sem Crianças Com Um Cachorro. Ou simplesmente **NOKS** (*No Kids Couples*) Casais Sem Crianças.

Do outro lado, há pessoas ou casais que têm filhos, há os **DEWKS** (*Double Employed With Kids*), Duplo Emprego Com Filhos ou Dupla Jornada de trabalho com filhos. É lógico que não escapam nem os **SINKS** (*Single Income Numerous Kids*), Único Rendimento para Numerosas Crianças...

[60] http://lifestyle.iloveindia.com/lounge/double-income-no-kids-385.html. (Acesso em jan. 2009).

É muito precoce a avaliação sobre essas diferentes formas de relacionamentos, que têm pouco tempo de existência e podem mudar tudo se houver uma separação, uma gravidez, a perda de emprego de um deles.

TER FILHOS É PLANEJAR O FUTURO COM CARINHO

Um bom planejamento financeiro pode garantir uma aposentaria tranquila, mas nada garante o conforto presencial do afeto dos filhos e netos, seus legados nos DNAS para a humanidade.

Ter filhos não é uma obrigatoriedade, assim como ter companhia não é, pois há pessoas que conseguem viver sozinhas.

Mesmo com boa performance profissional, **a vida de uma pessoa sem filhos** pode ser muito solitária. Amigos e parentes não a substituem, pois cada um deles tem suas respectivas famílias. A solidão existencial é muito difícil de suportar.

O cérebro é muito sensível ao carinho. A sensação prazerosa sentida na pele é conduzida até o cérebro e chega ao hipotálamo, que diminui os níveis corporais de cortisol, o hormônio do estresse, reduz também a noradrenalina relaxando os sistemas de alerta e vigília.

Um abraço pode fazer o cérebro aumentar a liberação da ocitocina, hormônio que facilita a aproximação entre pessoas.[61]

Numa Família de Alta Performance não faltam abraços e carinhos gratuitos, pela simples curtição de estarem juntos. Dificilmente se encontram outros agrupamentos onde essas manifestações ocorram com tamanha gratuidade e espontaneidade.

[61] Suzana Herculano-Houzel. *De bem com o seu cérebro*. Revista *Mente&Cérebro* num.188 (set/ 2008, p. 35).

Outro forte argumento usado por quem não quer ter filhos é que não vale a pena botar filhos neste mundo insano. Esse argumento demonstra pessimismo, uma falta de crença na humanidade, uma baixa performance pessoal por eleger o lado ruim, quando há também o lado bom da vida.

Ter companhia significa ter saúde relacional, um dos objetivos da minha Teoria Integração Relacional. Saúde relacional é *um relacionamento progressivo, em busca constante de melhoria, que seja excelente para todas as pessoas e o seu ecossistema.*[62]

RELACIONAMENTOS HUMANOS

Para facilidade de entendimento, classifico os relacionamentos humanos em dois tipos: verticais e horizontais. As regras de convivência, os componentes, as funções são diferentes entre os verticais e semelhantes nos horizontais.

Os relacionamentos verticais são hierarquizados: pai/filho; mãe/filho; professor/aluno; diretor/professor, governante/governado. **Um não existe sem o outro**. Sem filho, um homem não é pai nem se é governante se não houver governado.

Os relacionamentos horizontais, também chamados de pares, são as pessoas de um mesmo nível: alunos; amigos; irmãos etc. Mesmo que um falte, outros – sócios, colegas, parceiros, companheiros – podem substituí-los.

Nenhuma pessoa é absolutamente indiferente a uma outra pessoa. Aquele que acreditar que exista uma pessoa que lhe seja totalmente indiferente, tente participar de uma reunião com algumas outras pessoas com o indiferente junto. Até para colocar-se indiferente, uma pessoa já avaliou e posicionou a outra.

[62] Veja no livro *Adolescentes*: Quem Ama, Educa!, p. 124.

Gente gosta de gente, vê e quer ser visto, fala e quer escutar, escuta e quer falar, enfim, somos gregários e daí a extrema e fundamental importância dos relacionamentos.

OLHARES QUE FALAM

Num elevador podem entrar duas pessoas desconhecidas entre si, que podem nem se olhar nos olhos. Mas se olharem terão que se cumprimentar ou sorrir. Ninguém pode olhar e ignorar a presença de outra pessoa mesmo desconhecida. É grande falta de consideração com essa pessoa.

Mesmo não olhando nos olhos, não há como negar a presença um do outro. Mas o não olhar nos olhos permite que nada se fale, sem ser tão mal-educado. Por isso é que uns leem, ou fingem que leem, outros olham para o chão e o mais comum é olhar o interessante painel luminoso que indica os andares que está passando, ou as chamadas...

Mas se um cumprimenta, faz parte da educação social, o outro responder ao cumprimento, mesmo que não se olhem nos olhos. A explicação de responder sem olhar geralmente significa: "não estou a fim de conversar".

É impressionante como os relacionamentos podem se estabelecer a partir do momento em que **uma pessoa olha para outra**. Mentalmente já classifica a outra pessoa e se a coloca no relacionamento horizontal já se posiciona de igual para igual, ou seja, como par, e fica mais à vontade.

Quando coloca a outra pessoa como "superior" por estar mais bem vestida, de terno e gravata, ou simplesmente de paletó, relógio ou joias boas ou celular avançado, essa pessoa abaixa os olhos, num sinal de submissão, ou de educação (para não ser tomado como arrogante).

SOLIDÃO

Considerado como um dos maiores filmes de todos os tempos, Cidadão Kane *foi produzido e interpretado por Orson Welles em 1941. Kane foi um milionário da imprensa que teve o mundo aos seus pés. Morreu solitário, em casa, soltando a sua última palavra "Rosebud". No filme, este era o nome do seu brinquedo de infância, mas virou o "enigma de Rosebud". O verdadeiro significado desse enigma morreu com ele...*

A solidão ativa o sistema nervoso simpático gerando o estresse crônico que por sua vez gera hipertensão e promove formação de placas nas artérias, predispondo de 2 a 5 vezes mais doenças cardíacas do que em pessoas com companhias. **Ou seja, a solidão adoece as pessoas**.

Entre muitos abraços que um campeão dá e recebe, um é bem especial. O abraço que é para seu técnico, mesmo que a gratidão vá para os seus pais... O técnico é quem o acompanhou nos momentos mais solitários dos treinos pesados e constantes, com muita disciplina e vontade para se chegar ao ouro.

É um professor parceiro porque sabe compartilhar e comandar. Puxar quando está molinho, segurar quando está elétrico, orientar para não haver desperdício, estimular perante o desânimo, servir de muleta à perna ferida, tudo com conhecimento, amor e dedicação.

Assim também deve ser o pai com o filho, o professor com o aluno, um sábio com seu aprendiz, porque assim é que o filho vai ser pai, o aluno vai ser professor, o aprendiz, um sábio. Com amor, muito amor.

RELACIONAMENTO É EQUILÍBRIO DINÂMICO

Conforme a situação, os relacionamentos podem mudar. Esta flexibilidade, versátil fluidez, o clássico "jogo de cintura", qualifica a saúde relacional. O melhor filho é aquele que consegue se colocar na posição do pai no relacionamento pai/filho ou o patrão na do empregado e vice-versa.

Quem é sempre pai, ou sempre chefe, ou sempre filho não sabe se relacionar bem, portanto não tem saúde relacional. Corre-se o risco de ter um papel fixo. Sua performance pessoal cai bastante.

A melhor performance de uma pessoa em termos de relacionamento é lidar muito bem com os relacionamentos verticais, não importa se no nível hierarquicamente inferior ou superior, pois todos são necessários, e conseguir transitar livremente entre os seus pares. Todas as pessoas precisam ter tanto relacionamentos verticais quanto horizontais.

Um relacionamento com uma companhia é construído com as características individuais dos seus integrantes, mas as individualidades devem ser preservadas e respeitadas.

Em relacionamentos de Alta Performance, ambos têm as mesmas atitudes. Mesmo estando sozinho, não faz o que poderia fazer sem antes se perguntar "devo fazer?" pois ninguém quer voluntariamente desagradar, magoar, ferir, agredir os outros.

Num casal que se ama, **um não faz o que possa desagradar o outro**, pois um carrega o outro dentro de si. Portanto, a melhor fidelidade não é a imposta e controlada, mas a espontânea, que nasce do amor.

FAMÍLIA: FONTE DE COMPANHEIRISMOS

A verdadeira companhia quem faz mesmo é a família. É ela que cuida das doenças, que aguenta idiossincrasias, que usufrui do sucesso, que divide as frustrações, que faz plantões de cuidados e orações em casos de necessidades, que se aventura a viver no local para onde um familiar foi designado, suportar uma doença crônica em casa, cuidar com carinho uma pessoa em vida vegetativa etc.

É a família que **não nos faz sentir sozinhos**. Não somente receber apoio, carinho, compreensão mas desenvolver a confiança e reciprocidade é que nos dá o sentido de companhia.

Experiências demonstram que casais que perderam filhos mas mantêm seus casamentos compartilham a dor, os sofrimentos, os apoios e cuidados, sobrevivem mais tempo que casais divorciados ou viúvos.

A perda de um(a) companheiro(a) de longa data, leva a outra a falecer pouco tempo depois, principalmente se for homem. Para a longevidade o impacto da perda de companhia é tão maléfica quanto "o fumo, a hipertensão crônica, o obesidade e o sedentarismo".[63]

A companhia é tão essencial que estar casado(a) com uma pessoa que não seja companheira pode ser tão ruim quanto qualquer outra doença crônica. Torna-se inquestionável a força do bem, ou do mal, da família que interfere ativamente na Alta Performance dos seus integrantes.

[63] Suzana Herculano-Houzel. *Fique de Bem com Seu Cérebro*, p. 180.

MANTER A SAÚDE FÍSICA

O ser humano é o único vivente que sabe prevenir, tratar e provocar suas doenças.

As saúdes psicológica, comportamental, emocional e afetiva são fundamentais para manter a saúde física e o bem-estar. Saúde não é somente ausência de doenças nem o bem-estar, ausência do mal-estar. É saber usufruir o potencial de ser feliz, e de prevenir sofrimentos futuros em todos os campos físico, psicológico e social.

O foco deste capítulo é a saúde física, a capacidade de agir, de reagir, **de funcionar integralmente**, de ter força e equilíbrio, de alimentar o cérebro, de ter excelência nas funções fisiológicas.

Afinal, a morada da nossa mente é o nosso cérebro, que está no nosso corpo físico.

Mens sana in corpore sano (Mente sã em corpo são)[64] é uma frase atribuída ao poeta romano Juvenal, remonta aos primeiros séculos da era cristã e quase sempre é usada em apologia ao corpo.

Como a mente não para, se uma pessoa não a ocupar, ela "pensará besteiras" ou seja: *Mente vazia é oficina do diabo!*

O corpo é por onde a energia e o sangue circulam, como um terreno com água corrente. Penso eu: *Corpo parado, brejo mofado!* Onde a água fica parada, logo se forma um brejo onde juntam os batráquios, insetos e cobras, doenças, dengue, mofo etc. e onde até falta oxigênio.

O mesmo acontece onde a energia e o sangue ficam estacionados no corpo. Logo começa um problema, uma doença... Sedentarismo constrói brejos corporais.

[64] http://www.farn.br/navegacao/noticias/artigos

Para ter e manter a saúde integral é preciso conhecimento e prática do bom funcionamento do nosso corpo e nossa mente.

ACIDENTES VASCULARES CEREBRAIS

No Brasil, a cada ano Acidentes Vasculares Cerebrais (AVC) atacam 300.000 pessoas por ano. Para a Medicina **não são acidentes** que acontecem na vida das pessoas, mas consequências de várias doenças que podem ser prevenidas e tratadas.

AVC é a consequência clínica de hipertensão, doenças cardíacas, colesterol ruim em níveis altos, sedentarismo, insônias crônicas, estresse crônico etc., todas elas passíveis de serem controladas por médicos e mudanças de atitude das pessoas.

"Colesterol ruim" é o LDL, gordura de baixa densidade que acaba formando as placas de gordura que enfraquecem e acabam entupindo as artérias provocando diretamente os AVCS.

O sangue leva oxigênio do pulmão e nutrientes do aparelho digestivo para todo o corpo, do qual recolhe resíduos e leva para as lixeiras, basicamente pulmões e rins. Cada batimento cardíaco é uma bombada muscular que envia o sangue para todo o corpo.

Artérias perto do coração são gigantescas, comparadas com as arteríolas, suas últimas ramificações. Quando por algum motivo, uma via arterial entope ou se rompe, temos o derrame, isto é, o sangue não passa mais e a parte que ele irrigava morre. É a isquemia, ou falta de sangue.

Quando a artéria arrebenta, o sangue espalha (hemorragia) e não chega onde deveria chegar. Tais entupimentos ou arrebentações nas artérias do coração, é o que se chama de infarto cardíaco e no cérebro, de derrame cerebral.

DOENÇAS FAMILIARES

Há famílias cujos homens morrem por volta dos 50 anos. "Homens daquela família morrem cedo" dizem seus vizinhos que os conhecem de longa data. Hoje é possível superar esta triste sina.

Atendi um paciente cuja família tem com alta frequência câncer, hipertensão, diabetes e "gordura no sangue". Cerca de 25% dos homens tiveram AVCS. *Ele praticou esportes dos 8 aos 28 anos de idade, quando começou a fazer check-ups orientado por médicos. Já nas primeiras alterações começou a se tratar com medicações receitadas por médicos e fazer exercícios físicos acompanhados por personal trainer. Tratou também da diabetes e da hipertensão. Tumores foram extraídos. Seus dois irmãos mais velhos faleceram subitamente antes de chegar aos 50 anos de idade, por enfartes agudos do coração. O paciente tem hoje mais de 70 anos, curtindo as benesses da assim chamada "melhor idade" e usufrui com sua família a* ***aposentadoria sem invalidez****.*

Muitas pessoas morrem por não conhecer os avanços na tecnologia, os conhecimentos da Medicina e o mundo de informações existentes ao alcance dos interessados. Hoje não mais se admite que pessoas civilizadas sejam surpreendidas por doenças previsíveis.

Para ampliar os conhecimentos das pessoas que querem melhorar suas performances, vou destacar três temas essenciais, que muitos negligenciam por absoluta falta de informações: câncer, insônia e exercícios físicos.

ANTICÂNCER

"ANTICÂNCER : *Prevenir e vencer usando nossas defesas naturais*" é o título do livro escrito por David Servan-Schreiber.

Psiquiatra e neurocientista, David descobriu em si um tumor cerebral e seus colegas fizeram a previsão de, no máximo, mais 6 meses de vida. Mas isso ocorreu há 15 anos. Brilhante profissional e determinado a compreender essa doença, fez extensas pesquisas, estudou e fez uma abordagem inédita: ***integração da medicina oriental à ocidental****, com práticas integradas de mente e corpo de alimentação saudável e exercícios físicos.*

Ninguém tem culpa de ter câncer era senso comum antes de se ler esse livro. Hoje sabemos que existe uma cultura que favorece ou dificulta a formação dos tumores. Podemos lutar contra essa doença familiar.

> *Todas as pesquisas sobre o câncer concordam: Os genes contribuem no máximo com 15% da mortalidade do câncer. E... a morte por câncer de um pai adotivo (que não transmite nenhum gene, mas transfere seus hábitos de vida) multiplica por cinco o risco de o filho morrer de câncer também.*[65]

Temos defesas naturais contra o câncer pois mesmo tendo microtumores pré-cancerígenos na próstata, mama e cólon, os ocidentais tem de 7 a 70 vezes mais câncer que os asiáticos. Esses mesmos asiáticos com duas gerações no Ocidente atingem a mesma marca que os ocidentais. O meio ambiente influi fortemente na formação dos cânceres.

[65] David Servan-Schreiber *Anticâncer*: Prevenir e vencer usando nossas defesas naturais, p. 15.

Sugiro às pessoas que leiam esse livro pois, sem dúvida, elas adquirirão outra compreensão sobre os cânceres e saberão como enfrentá-los.

Melhora muito a performance pessoal e familiar de qualquer humano o saber compreender, enfrentar e superar o câncer.

DORMIR BEM É ESSENCIAL

Passamos quase um terço da vida dormindo. Trata-se de uma necessidade fisiológica que, se não for saciada, promove sérios problemas. Se alguém pretender ficar sem dormir por um tempo indeterminado, jamais conseguirá.

O sono vem em ondas cada vez mais fortes até que a pessoa não consiga mais resistir e "capota".

Quando **chega e se impõe**, o sono é cruel. Não respeita o que uma pessoa está fazendo e a faz dormir. Em reuniões, dirigindo, estudando... é quando ocorre o acidente.

Dormir é essencial para conservar a Alta Performance pessoal, porque é durante o sono que o cérebro trabalha diferente. O cérebro nunca para de trabalhar: acordado, funciona de um jeito e dormindo, de outro.

Todas as fases do sono são importantes. Algumas fases são muito conhecidas e outras ainda estão em estudos. Prefiro pensar que tudo o que o corpo tem hoje é uma evolução biológica por milhares, quiçá milhões, de anos em aperfeiçoamento. Não é porque não conhecemos hoje as funções de alguma área, fase e/ou etapa que elas não tenham sua importância.

Até hoje o sono passou por muitos estudos, mas somente nos últimos anos é que seus mistérios estão sendo desvendados cientificamente, graças aos avanços tecnológicos e da neurociência.

TRABALHOS DA MELATONINA, O ANTIOXIDANTE FISIOLÓGICO

Durante o dia funciona o sistema nervoso simpático, que é o responsável para enfrentar os estresses do dia. Durante a noite, esse sistema é desligado – descanso obrigatório – e o sistema parassimpático entra em ação. Isso porque a maioria dos humanos tem o ritmo circadiano, isto é, em torno das 24 horas de um dia.

Enquanto estamos dormindo, o cérebro produz a melatonina, um neuro-hormônio que regula o sono. O senil tem um terço do que possuia quando era pré-púbere. A sua produção é importante, e não se faz quando há luz acesa.

Melatonina é um poderoso antioxidante e combate os radicais livres e assim ajuda a retardar a velhice. Com sua diminuição, a função cerebral também diminui. Desnutrição, uso de drogas, estresse e o próprio envelhecimento diminuem a produção de melatonina.[66]

Ainda durante o sono é secretado o hormônio do crescimento das crianças e também algumas substâncias importantes para o sistema imunológico. Quem não dorme o suficiente fica mais sujeito a doenças e distúrbios de crescimento. Quem sacrifica o sono para farrear, estudar ou trabalhar pode melhorar naquele momento sua performance mas a prejudica a longo prazo.

Mas isso é da genética do urso e dos cetáceos. Nenhum ser humano conseguiria hibernar como um urso nem tampouco dormir com a metade do cérebro como os mamíferos aquáticos para controlar a respiração que não é automática. Quem dorme bem garante a sua performance.

[66] Google: http://gballone.sites.uol.com.br/geriat/melatonina.html

INSÔNIA E NARCOLEPSIA

A insônia estressa porque além de não descansar, libera mais cortisol, hormônio do estresse, produzido nas glândulas suprarrenais e inibe a produção de melatonina. Insônia crônica provoca problemas cardiovasculares e respiratórios como enfartes, derrames etc.

A falta de sono é duplamente maléfica à capacidade do cérebro de regular a resposta ao estresse, pois não só reduz a produção de neurônios novos no hipocampo como ainda aumenta a morte dos neurônios que já estão lá.[67]

A neurociência provou que os neurônios do hipocampo produzem neurônios novos que ajudam na função de novas memórias. Cai assim o paradigma "o cérebro não produz novos neurônios".

Não dormir por uma noite pode provocar irritação, cansaço ou agitação no dia seguinte. Por duas noites, dificuldade de concentração, desatenção e provocação de muitos erros. Por três noites, perda do senso da realidade, descontrole de pensamentos e alucinações.[68]

Jean Gelineau em 1880 identificou a **narcolepsia** caracterizada por episódios incontroláveis e recorrentes de sonolência durante o dia, que duram de 15 minutos a uma hora, com maior frequência entre pessoas de 15 a 30 anos de idade. Pesquisas recentes mostram carência de hipocretina nos neurônios cerebrais, principalmente do hipotálamo. Ainda não se conhece a cura, mas há medicamentos que melhoram os sintomas.[69]

[67] Suzana Herculano-Houzel *De bem com o seu cérebro*. Revista *Mente & Cérebro*, núm.188, set/ 2008, p. 34.
[68] http://saude.hsw.uol.com.br/sono.htm
[69] http://saude.hsw.uol.com.br/questao676.htm

SESTA, COCHILO E *FLASH-SLEEP*

É importante notar que há pessoas que têm breves cochilos altamente reparadores. É o *flash-sleep*. Não é um cochilo curtinho que ataca a pessoa em andamento de uma atividade, a qual acorda assustada, tentando disfarçar depois do acontecido. O cochilo ataca uma pessoa em plena atividade: dirigindo, assistindo a aulas ou palestras, ouvindo conversas chatas.

Flash-sleep é um sono breve que dura minutos, de 10 a 15, ou até menos e está sob controle. Há um ritual para a pessoa dormir, ela avisa as pessoas em volta, retira-se ou não, põe-se em uma posição confortável e desliga-se totalmente do ambiente. Acorda bem e disposta para a próxima atividade. Ajuda muito no rendimento diário da pessoa. O Professor Luiz Marins que fez cursos no Instituto do Sono em Paris afirma: *"flash-sleep é tão ou mais reparador que muitas horas de sono que normalmente fazemos."*

Uma pessoa pode tirar a sesta depois do almoço. É altamente reparador e dura de meia hora a três horas, conforme o costume. Sente falta dela quem está habituado a ela ou dorme pouco à noite.

A minha sesta me é fundamental. Se tenho pouco tempo, prefiro dormir a comer. A falta dessa sesta me deixa lento, desanimado, sem energia. A fome, eu negocio com lanchinhos e sucos. Após o almoço, sempre encontro um lugar mais apropriado e durmo. Acordo muito bem, pronto para começar o dia outra vez.

DORMINDO SE ENCONTRAM SOLUÇÕES

Hoje a neurociência comprovou como o cérebro faz o seu intenso e importante trabalho em muitas áreas, em todas as suas fases, isto é, o cérebro não descansa nunca.

Muitas pessoas devem lembrar-se de que, quando adormecem com um impasse, dilema, problema, conflito a resolver, despertam de manhã **com as soluções encontradas**.

Há alguns anos, Natércia, minha mulher, acordou no meio da madrugada, falando alto: "achei!"; eu despertei assustado, perguntando "achou o quê?". Ela respondeu animada "achei a solução para aquele problema de decoração" e começava a me contar ou escrevia num caderno e voltava a dormir.

Acredito que o mesmo acontece quando esquecemos momentaneamente do nome de uma pessoa, ou onde colocamos a chave. Quanto mais forçamos, menos vem à lembrança o que esquecemos mesmo "estando na ponta da língua". Passamos para a atividade seguinte e logo nos lembramos do que queríamos lembrar.

Os estudantes sofrem muito com isso, principalmente os que estudam muito nas vésperas das provas. Quando saem das provas, isto é, quando acabou o compromisso, eles comentam que sabiam a matéria, mas que na hora "não veio nada à cabeça".

> *Em 1865, o químico alemão Friedrich August Kekulé (1829-1896) acordou de um sonho estranho: imaginou uma serpente formando um círculo e mordendo a sua própria cauda. ... ele vinha trabalhando com fervor para descrever a estrutura química do benzeno. ... O sonho ajudou-o a concluir que esta estrutura tinha a forma de um anel... e abriu caminho para uma nova compreensão da química orgânica.*[70]

[70] *Mente & Cérebro*, ano XVI, número 191, Dez. 2008: São Paulo: Ediouro, p. 30.

CÉREBRO SALVA E DELETA CONTEÚDOS

Importei estes termos *salva* e *deleta* da linguagem dos computadores para explicar de modo fácil o funcionamento do cérebro para a formação da memória e do aprendizado.

Salvar significa registrar na memória do computador um conteúdo para que possa ser acessado em outros momentos, e *deletar* significa apagá-lo.

Durante o sono, nosso cérebro está trabalhando todas as informações que lhe chegaram durante a vigília. O que for importante, **o cérebro salva**, e o que não for, deleta, baseado num critério de seleção de conteúdos que por sua vez se baseia na atitude do dono do cérebro.

Para quem recebe muitos e-mails, existe um programa de computador que joga no lixo eletrônico mensagens não importantes para o seu usuário. Como o programa sabe o que é, ou não, importante? Ele aprende quais os e-mails que o usuário abre ou simplesmente deleta. Quando o programa detecta a mensagem que o usuário deletaria, ele deleta antes.

Assim também, nosso cérebro em vigília recebe muitas informações que o seu usuário sequer identifica, e muito menos usa. Estas informações ficam soltas no cérebro sem serem salvas nem deletadas. Algumas delas podem ser aproveitadas no mesmo dia.

Quando a pessoa adormece, o cérebro trabalha com outros tipos de trabalho, entre eles o trabalho de selecionar o que vai ser salvo ou deletado. Assim o cérebro trabalha muito melhor quando acordar, sem estar sobrecarregado do que não lhe interessa e melhora muito a sua performance.

NO SONO, O CÉREBRO DESCOBRE NOVOS CAMINHOS

O cérebro salva dormindo o que for do interesse do seu dono. É como agiram os cérebros de Kekulé, que tinha o interesse em descobrir a fórmula do benzeno, da Natércia, em descobrir uma solução a um problema de decoração de interiores.

Em vigília, nosso cérebro é pressionado pelas nossas vontades imediatas pelos caminhos que já temos na consciência. Em sono, nosso cérebro usa os recursos que ele tem, independentemente dos quais usaríamos em vigília, para atingir um objetivo e não a nossa vontade imediata. Então **o cérebro está livre** para descobrir novos caminhos, muitos ainda nem experimentados para este objetivo.

Leia algo sobre a chamada Atividade cerebral noturna e seu conteúdo:

> *Quando pianistas aprendiam uma nova partitura, eles ensaiavam as partes difíceis várias vezes até que os movimentos se tornassem quase automáticos. Parte desse processo de internalização depende do sono. Um estudo de ressonância magnética funcional feito em 2005 mostrou que quando as pessoas dormiam depois de aprender a teclar sequências complicadas, regiões diferentes do cérebro participavam no controle do pressionamento de teclas.*[71]

Esta conclusão se baseou na observação que novas áreas foram estimuladas e agora funcionavam juntas com as áreas originalmente responsáveis pela tarefa de pressionar as teclas, poupando esforço consciente e emocional.

[71] *Mente & Cérebro*, ibid., p. 34, (boxe).

O estudante que passa as noites em claro, estudando tudo às vésperas da prova, lembra menos do que o estudante que tenha estudado e dormido bem para fazer a prova no dia seguinte.

ESTUDAR PELO FILHO

Há duas décadas, alguns psicólogos divulgaram que é dormindo que o cérebro registra o aprendizado. Deveriam eles estar falando do que eu disse páginas atrás.

Naquela ocasião, muitas mães passavam noites em claro lendo para os seus filhos dormentes textos que cairiam nas suas provas escolares. É óbvio que foi um mal-entendido dessas mães, pois o cérebro salva o que o filho ativamente estudou.

A maioria dos estudantes quer mais é passar de ano e não exatamente aprender. **O cérebro obedece ao desejo**, conservando a memória da matéria até o final da prova, depois deleta. Como se a matéria ficasse na memória flutuante, portanto, disponível a ser usada dentro de um prazo estabelecido: a data da prova. Obviamente, quando há algum interesse na matéria, o aluno salva com mais facilidade.

Se o interesse está em surfar, o cérebro tudo faz para que ele o consiga. Faz acordar mais cedo, acorda mais disposto, salva com mais facilidade tudo o que se refere às pranchas e ondas, onde e quando elas estão, surfáveis ou não, formando ou não correntes. De dia age com interesse e de noite o seu cérebro salva.

Se a física, a matemática, a história, todas as matérias que um surfista pode achar muito chatas, estiverem diretamente relacionadas ao surf, com certeza nem precisaria estudar em casa, pois bastaria ouvir o que os professores dizem, para, dormindo, o cérebro salvar para eles.

EXERCÍCIOS FAZEM BEM PARA SAÚDE

Muitos problemas dos idosos são agravados pela má saúde física. Faz pouco tempo que os exercícios físicos entraram para valer na vida das pessoas. Quanto maior for o avanço da tecnologia, maiores serão os conhecimentos para postergamos o envelhecimento.

A neurociência há poucos anos descobriu que as ações antidepressiva e estabilizadora do humor estão relacionadas ao aumento da produção de neurônios novos no hipocampo e no sistema de recompensa.

A experiência tem mostrado o quanto as cirurgias cardíacas de correção da circulação coronariana (pontes safenas, colocações de *stent* etc.) tem salvado muita gente, mas não impedem as recaídas. O que as impede são as correções na alimentação, mudança de atitude e fortalecimento do organismo com exercícios. Essas mudanças feitas a tempo previnem até as citadas cirurgias.

A Associação Americana de Cardiologia publicou recentemente no seu jornal um estudo que mostra que exercícios físicos previnem o organismo de outros ataques semelhantes, quando um *stent* corrige um problema específico mas não previne outros. Cardiologistas acrescentam hoje exercícios físicos nas suas receitas.

Dr. David Servan-Schreiber traz no seu aqui já citado e indicado livro *Anticâncer* como os **exercícios físicos** ajudam o organismo a desenvolver as defesas contra o câncer.

Nuno Cobra, o professor e preparador físico que foi *coach* de Ayrton Senna entre outras celebridades, no seu livro *Sementes da Vitória*, entre várias recomendações em nome da saúde orienta que qualquer pessoa pode caminhar por 30 minutos três vezes por semana em qualquer lugar.

ONDE FICA A INTELIGÊNCIA?

O tamanho físico do cérebro e o dos neurônios não têm nada a ver com a inteligência de uma pessoa. O que vale são as sinapses. A inteligência, a rapidez de raciocínio, os conhecimentos dependem do número de sinapses que os neurônios estabelecem entre si.

Desde a Antiguidade se buscava a base material orgânica para localizar a inteligência e pensava-se no tamanho do cérebro. Mas a medicina ainda era estudada em anatomia de cadáveres e não em pessoas vivas.

Hoje contamos com tecnologia e conhecimentos suficientes para entender que a inteligência tem suas bases **no funcionamento dos neurônios** e não nas suas estruturas físicas.

As neuroimagens são conseguidas escaneando-se o oxigênio radiativo consumido no cérebro. Quando há localização de maior consumo de oxigênio em uma área, significa que lá está havendo um trabalho maior que em outras áreas. A inteligência está onde o cérebro trabalha. Portanto em cérebro parado não há como avaliar a inteligência. E a inteligência é uma energia bioelétrica em atividade, isto é, que circula entre os neurônios, passando pelas sinapses.

Sinapses são os locais onde um neurônio passa sua mensagem para outro. Cada neurônio tem milhares de sinapses. Quanto maior o número de sinapses funcionando, maior é a inteligência da pessoa.

UM CÉREBRO, TRÊS ESTILOS

O corpo humano é um sistema integrado, no qual o cérebro tem um grande destaque. O cérebro tem apenas 2% da massa corporal, mas consome sozinho 20% da energia necessária diariamente, enquanto os restantes 98% do corpo consomem os restantes 80% da energia. O cérebro é muito delicado, pois basta reduzir 1% do fluxo sanguíneo nele para provocar mal-estar no corpo todo e até desmaio.

Pensava-se que somente 20% do cérebro era utilizado pelo ser humano. Hoje está provado que usamos todo o cérebro o dia todo, mas somente 20% de cada vez, enquanto o restante somente diminui suas atividades.

Os neurônios não se movimentam dentro do cérebro. Eles armazenam informações que são transmitidas entre si através das sinapses, usando como veículos os neurotransmissores, num milionésimo de segundo.

O cérebro armazena todo o desenvolvimento do homem desde a sua origem até os dias de hoje. As funções mais primitivas e rudimentares de sobrevivência estão no nosso cérebro reptiliano (autopreservação e agressão), as emoções básicas estão no cérebro intermediário e as funções superiores intelectuais estão no neocórtex. Quando falha a parte nobre, **o córtex**, a uma determinada ação, entra em ação a parte intermediária e quando este falha é a parte irracional, o cérebro reptiliano, que rege tudo.

Quanto mais primitivos forem os cérebros utilizados menor é a performance pessoal.

GINÁSTICA CEREBRAL

Está fraco dos músculos? Faça ginástica, faça vários exercícios físicos... Está fraco da memória, sem concentração, ansioso, depressivo? Faça ginástica mental, exercícios cerebrais...

Ginástica cerebral é fazer o cérebro funcionar. Os neurônios não são como as células musculares, que ficam mais fortes e maiores com os exercícios físicos. Por meio dos exercícios os neurônios podem ficar mais competentes e rápidos, aumentando o número de sinapses.

A fraqueza cerebral, ou **fadiga mental**, provém do estresse, dos problemas psicológicos e psiquiátricos que diminuem a capacidade funcional dos neurônios.

As ginásticas cerebrais vieram para retardar esse envelhecimento e prevenir algumas doenças do cérebro como depressão, mal de Alzheimer, fibromialgia etc.

A finalidade da ginástica cerebral é a criação de novas sinapses e "desenferrujar" as que estão perdendo sua funcionalidade, pelo uso. O cérebro está sendo exercitado cada vez que seja solicitado a trabalhar.

Isso pode ser feito a qualquer instante, em qualquer ato, durante o dia a dia. Basta não fazer nada automaticamente. Em tudo que puder use os cinco sentidos: tato, olfato, visão, audição e paladar. Por mais atento que esteja, é natural o cérebro tentar poupar energia e jogar no automático.

Tem gente que pensa que está ganhando tempo se tomar um cafezinho sem interromper o trabalho. Se o trabalho é automático, não está rejuvenescendo o cérebro, pois está simplesmente usando o que já sabe sempre do mesmo jeito.

ALGUNS EXERCÍCIOS MENTAIS

Os neurônios podem estar sendo utilizados e exercitados a qualquer momento por qualquer pessoa em qualquer atividade.

Tem um encontro marcado com alguma pessoa? Imagine como será, como estará vestida, o que ela gostaria de fazer, lembre-se de um episódio mais recente, interessante ou engraçado que viveram juntos.

Depois do encontro, seja qual tenha sido a razão, tente lembrar das feições da pessoa, o nome dela, o que vestia, do que falaram, o que fizeram. Lembrar desta maneira é fazer o cérebro registrar com maior intensidade, energia e vigor.

Acabou a luz em casa? Não se estresse, cortisol faz mal ao organismo. Aproveite e exercite o cérebro. Use os olhos da mente, a memória da casa. Tateie com os pés, ande suave, devagar, imaginado onde estão os móveis, a cama, o que você quer.

A **ginástica mental** pode ser praticada nos mínimos gestos do cotidiano como escovar os dentes, pentear-se, abrir garrafas usando a mão oposta à que sempre usou, escrever diferente, usar os pés descalços para acionar os interruptores de luz e para fazer carinhos ou cócegas no parceiro, e tantas outras atividades quanto sua imaginação permitir.

Cuidemos disciplinadamente do nosso corpo, pois é ele que nos leva aos locais mais desejados, que nos permite viver psicologicamente bem, que nos dá uma boa base para o trabalho, diversão e relacionamentos humanos. Não nos descuidemos dos *check-ups* periódicos e medicamentos quando necessário. Alta Performance em saúde é uma questão de conhecimento, disciplina, prevenção e cuidados.

ACADEMIAS PARA GINÁSTICA CEREBRAL

É boa para o cérebro e, portanto, para a pessoa a companhia de pessoas interessantes porque tudo fica mais interessante. Relacionamentos são excelentes exercícios mentais. Nossa mente acaba absorvendo pensamentos e sensações de outros. Portanto, afaste-se das pessoas depressivas, mal-humoradas, pessimistas, que resmunguem de tudo para não contaminar seus pensamentos e ações.

Um excelente e vigoroso exercício cerebral é aprender a jogar cartas, dominó, xadrez, damas. Faça do jogo uma ginástica coletiva, como numa academia, num estádio, com direito a formação de times, campeonatos, troféus e medalhas e até mesmo ganhar uns dinheiros, mesmo que sejam centavos.

Excelente é formar um grupo e contratar um professor de línguas para estímulo coletivo. Interessante e instigante é programarem algo muito corajoso como ir a um lugar cuja língua não se conhece. Apertos, tragédias, sofrimentos, apuros, serão rapidamente transformados em piadas e gozações. **Cérebro satisfeito ri à toa**.

Pessoas solitárias também podem exercitar o cérebro com palavras cruzadas, leituras instigantes, sudokus, quebra-cabeças, um belo filme, inventar uma coreografia dançante para uma música que tanto se gosta de ouvir... Cuidar de plantas, vasos, jardins, dar uma de Gepeto e fazer seus pinóquios para presentear com suas produções as crianças ao seu redor.

Crianças adoram ferramentas, pinóquios, mexer com terra e água, cuidar de plantas... Crianças enriquecem e alegram a vida de pessoas solitárias.

Sua performance melhora, sua mente agradece, o mundo fica mais lindo e feliz com crianças satisfeitas.

TER DINHEIRO

Dinheiro é energia de vida de que o ser humano precisa para viver. Ele ajuda os seres humanos a se organizar para que todos possam comprar e vender tudo, independentemente do seu credo, cor, raça, cultura, conhecimento, educação, gênero, idade e profissão.

Há muitas maneiras de se fazer dinheiro. *Ganhar dinheiro* traz um sentido dúbio. Parece que se ganhou dinheiro sem fazer nada, de presente ou caridade. Presente se ganha. Dinheiro fazemos por merecer.

O dinheiro não pode assimilar nossa vida. A vida assimila o dinheiro, como um remédio é absorvido pelo nosso corpo. Mas é bom que se saiba que com dinheiro:

a. **pagam-se bons médicos, excelentes hospitais, aprende-se e pratica-se a prevenção da saúde;**
b. **poupa-se tempo para fazer somente o que importa, para delegar outras atividades a terceiros;**
c. **adquirem-se mais conhecimentos acessando fontes como livros, palestras, computadores, *workshops*, viagens, cursos, artes;**
d. **dedica-se mais ao amor, com melhor qualidade de vida;**
e. **diverte-se mais indo a lugares realmente diferentes e maravilhosos em grande estilo.**

A postura de empreendedores ricos é aproveitar bem o tempo pois "tempo é dinheiro" e de esperadores é "fazer hora" em empregos mal pagos... Enfim, dinheiro faz dinheiro.

Alta Performance é saber viver bem com o dinheiro que se tem, e não se lamentar pelo que não se tem.

TRABALHO E DINHEIRO

Na Grécia antiga, os nobres e intelectuais não trabalhavam. Aristóteles e Platão detestavam trabalhos manuais. Antes de Cristo, o trabalho era castigo. Com Cristo, veio a ideia de que a pobreza e o trabalho salvam a alma.

Trabalhoso em qualquer dicionário significa *custoso, difícil, cansativo*. Quem está em dificuldades, está *passando* trabalho. Aquilo que não é fácil de fazer *dá muito trabalho*, ou muita *trabalheira*, às vezes até um *trabalhão*.[72]

Trabalho, que dá ideia de muito sacrifício, vem da palavra latina *tripalium*, um instrumento agrícola, mais tarde usado em torturas.

Na escravocracia, o trabalho era função dos escravos. Os escravos trabalhavam e os resultados eram todos direcionados aos senhores. Foi o protestantismo, no século XVI, que valorizou o trabalho para acumular riqueza, surgindo assim o capitalismo.

Acumular dinheiro virou uma questão de competência. Quanto mais, melhor e em menos tempo for feito o trabalho, maior a recompensa financeira. Surgiram então as competências e as profissionalizações. Os trabalhadores começaram a ganhar alguns direitos somente com a industrialização.

Um alto preparo da habilidade por meio de uma escola de especializações (faculdades) formou profissionais de alta competência com excelentes resultados financeiros. Hoje não é vergonhoso ter dinheiro proveniente de trabalho, e todos querem ter dinheiro honesto.

VIDA COMPLICADA COM E SEM DINHEIRO

Em idas épocas, se uma família tivesse galinhas poedeiras poderia trocar os ovos que sobravam por carne com a família que tivesse matado um javali, pois iria sobrar-lhe carne.

Os mais fortes tomavam o que queriam dos mais fracos. Outros simplesmente roubavam ou saqueavam. Parece que ainda hoje temos alguns ranços desses comportamentos inadequados.

[72] http://www.sualingua.com.br/02/02_trabalho.htm

Hoje as famílias fazem dinheiro do seu trabalho e hoje compram-se ovos e pernil. Admitamos: a vida hoje está bem mais cômoda, pois temos a possibilidade de comprar ovos sem ter galinhas poedeiras, ou comemos um pernil sem matar um porco em casa.

Por isso mesmo, ter muito dinheiro é o sonho de muita gente e realidade para pouquíssimas pessoas. Entre estas, algumas ainda sofrem muito com a ambição sem limites. O filme *Cidadão Kane* retrata bem essa ambição.

"Dinheiro traz felicidade" é o que pensa muita gente que sonha que será feliz quando tiver muito dinheiro. Não é o dinheiro que traz felicidade, mas ter dinheiro pode **ajudar a realizar sonhos**, portanto, dinheiro é um forte ingrediente que ajuda quem tem competência para ser feliz.

Outros dizem: "Quero ter dinheiro para viver bem o resto da minha vida". É preciso entender o significado do viver bem para eles. Se é para gastar sem noção e não administrar a riqueza acumulada, "num instante – menos de uma geração – o dinheiro acaba".

Tanto isso é verdade que existe outro ditado popular: "Dinheiro não aguenta desaforo". Por maior que seja um império herdado, se o herdeiro não o administrar bem, ele pode ser destruído em uma única geração. São filhos que, em vez de ser sucessores empreendedores, viraram príncipes herdeiros.

PRÍNCIPES HERDEIROS

"Pai rico, filho nobre, neto pobre" é um ditado muito elucidativo. Pai rico é quem constrói um império financeiro. Filho nobre é quem gasta tudo o que o pai deixou. Neto pobre é o que vai ter que começar tudo de novo...

É o filho nobre que acaba com a herança familiar. Sua performance pessoal foi a mais baixa possível. Gastar sem repor é caminhar para a miséria.

Quer fazer bons negócios e auferir grandes lucros? Afaste-se dos pais ricos, porque estes sabem fazer dinheiro, portanto nosso dinheiro vai para eles. Afaste-se dos filhos pobres, pois estes querem sair da pobreza, portanto querem nosso lucro.

A performance inclui a previsão financeira para viver no futuro. A visão do herdeiro, ou príncipe, é gastar sem repor, sem arcar com as consequências, sem administrar o que resta, não importa quanto.

O **maior sonho** do príncipe herdeiro é receber a herança para poder gastar à vontade, sem prestar contas a ninguém, nem precisar pedir, isto é, levar vida de rei. Ninguém pode ser rei ou dono de empresa, ou mesmo ter uma fortuna em suas mãos se não for preparado para tal cargo.

Performance oferece várias avaliações diferenciadas. Um pai rico teve boa performance financeira. Mas com filhos nobres, sua performance de educador foi fraca. Se ele estiver vivo para ver netos pobres lamentará a performance do passado. Mas se os netos começarem a fazer dinheiro, perceberá que a performance não foi tão ruim assim...

NÃO EXISTE NADA DE GRAÇA

Há pessoas que precisam trabalhar todos os dias porque não têm reservas para comer no dia seguinte. Estas estão caquéticas, isto é, sem reservas de gordura (dinheiro) a serem gastos em emergências. Estas têm baixa performance financeira.

Há outras pessoas que têm moradia própria, bom emprego, saúde, família com bom desempenho, filhos em escolas boas, e uma pequena reserva financeira para emergências. Vivem com folga, mas na ponta do lápis. Elas têm boa performance financeira.

Há poucos com muito dinheiro, mas vivem avarentamente. Brigam com todos, achando-os perdulários, dizendo em tom sofredor *vocês não sabem quanto custa ganhar este dinheiro!* Estes têm fraca performance financeira, pois não conseguem usufruir do que têm.

Há ainda os **obesos financeiros**. É gordura de sobra que faz mal ao organismo. Vivem, isto é, sofrem em função do dinheiro. Tudo se resume a aumentar sua fortuna cada vez mais. Vivem insatisfeitos e obesos mas famintos por dinheiro. Têm baixa performance financeira, pois são assimilados pelo dinheiro.

Qualquer empresário sabe que alguém que lhe pague um almoço, espera dele algo em troca: um favor, um empréstimo, uma indicação... daí a expressão americana "there's no free lunch" (não existe almoço gratuito).

O INVERNO VAI CHEGAR...

Quanto de dinheiro é o suficiente para reservas e não sofrer apertos financeiros? Os especialistas em aplicações financeiras orientam:

a. **tenha reservas suficientes para "hibernar", isto é, para viver pelo período das vacas magras, do desemprego, da doença, da aposentadoria etc;**
b. **não coloque todos os ovos (dinheiro) em um cesto só (uma única carteira, ou investimento);**
c. **diversifique. No mercado, o dinheiro muda de mãos. Isto é, quando o mercado de ações vai mal, o dinheiro migra e vai para a renda fixa. Se esta cai, ele migra para os imóveis;**
d. **se estiver empregado, com saúde, e tudo sob controle, tenha dinheiro em aplicações de fácil mobilização, suficiente para garantir por 6 a 12 meses a**

sobrevivência em situações de desemprego. É o preço para manter a qualidade de vida;

e. faça um seguro-saúde para garantir seu tratamento médico e odontológico incluindo honorários dos profissionais e internações em hospitais de primeira linha. Com saúde não se brinca.

Um senhor bem apessoado comentou comigo que sua mãe, com 90 anos, ficou doente e não quis ir ao hospital. Ele disse que pagaria as despesas. Ela não queria que o filho gastasse o dinheiro com ela. O filho lhe disse então "A senhora tem a sua poupança" e sua mãe o repreendeu: "O dinheiro da poupança é para eu gastar quando eu precisar!"

PRECISO DE AJUDA!

É comum os mais ricos socorrerem os mais pobres em apertos financeiros. Nada impede que ajudem, mas não repitam a ajuda sem verificar o que seus devedores estão fazendo com o empréstimo. Estes têm que demonstrar atitudes que queiram pagar a dívida.

Os empréstimos cujos devedores desaparecem e somente reaparecem quando estão em novos apuros não merecem ser repetidos. Quem não corrige o erro, vai continuar tendo prejuízos.

O pobre pode arrastar o rico para a miséria se este continuar emprestando por pena, ou por parentesco, mas sem mérito. Geralmente o problema não é financeiro e sim comportamental. **O devedor estraga** tudo o que cai em suas mãos, inclusive o dinheiro que lhe chega emprestado e finalmente destrói aquele que o ajuda.

É preciso cortar a fonte que alimenta o erro, pois se ele for mantido, não há dinheiro que chegue. O credor tem que despertar no devedor a vontade de resolver o erro, mesmo que isso custe muito sacrifício de ambos os lados.

Aparentemente seria mais fácil e mais cômodo socorrer logo e livrar-se do problema na hora, mas seria postergar simplesmente o enfrentamento do problema que no mês seguinte estaria maior, com certeza.

Mesmo que a performance financeira do rico seja boa, não será tão boa se tiver pendurado nele vários devedores com baixa performance financeira.

TER MORADIA

Todo ser humano precisa de um território para sobreviver e um local onde possa dormir.

MORADIA, UM DIREITO DA FAMÍLIA

Dentro dos seus territórios, o felino demarca o seu ninho, o índio constrói a sua oca, o urbano busca um lugar para sua família dormir. Moradia é o lugar onde se dorme, um território muito bem demarcado a ser frequentado somente pelos seus familiares. "Na minha casa, mando eu!" mostra o sentido de dono absoluto da moradia.

Moradia tem que ser reconhecida e respeitada pelas outras pessoas. Para isso, o governo cobra impostos, usos e consumos, mas arca com as obrigações de colocar-lhe água, luz, saneamento básico, acesso, condução etc.

Antigamente construía-se a moradia dentro do seu território de sobrevivência. Com o surgimento das cidades, existem muitas moradias em um mesmo território geográfico, portanto surgiu um novo conceito, o território profissional. Quanto mais próxima for a moradia do seu local de trabalho, melhor a performance de vida.

Os civilizados disputam a mesma caça – emprego e/ou trabalho – e sobrevive o melhor profissional da área, o que é o mais capacitado e o mais bem relacionado daquele território. O perdedor de um trabalho não mata o vencedor como vingança selvagem e, civilizadamente, sai à procura de outra "caça" ou outro território.

TERRITÓRIO PROFISSIONAL

Uma das maneiras de os advogados defenderem o seu território profissional é pela Ordem dos Advogados do Brasil, a OAB. Uma das condições que capacita uma formanda em direito a ser advogada é ser aprovada nos exames feitos pela OAB. Assim, os advogados organizadamente defendem o seu território, embora para sua moradia cada um escolha o lugar que bem lhe aprouver.

Assim, também existem vários órgãos que regem as diversas profissões existentes na sociedade, estabelecendo uma organização necessária para uma boa convivência entre os mais diferentes profissionais.

A cidade é um resultado de se compartilharem vários territórios, às vezes até superpostos, estabelecendo redes de relacionamentos dos mais variados tipos e qualidades.

Cada cidadão pode escolher a sua profissão e o território onde vai atuar. Os estudos fornecem a teoria para a capacitação profissional, e os estágios, a prática necessária.

A **riqueza territorial** de uma sociedade está na diversidade de profissionais que ela pode sustentar. Quando há excesso de profissionais e eles não conseguem sobreviver num território, eles emigram para outros onde eles fazem falta. Estes vêm de onde "sobram".

A ocupação profissional desse território paga impostos e taxas ao governo que, junto com a entidade de classe, mais os conselhos regimentares de cada profissão, regem as condições do seu trabalho.

CANTINHO INDEVASSÁVEL DA INDIVIDUALIDADE

Numa família, apesar de todos dormirem na mesma moradia, cada um tem seu canto para dormir e um lugar "secreto" onde guarda suas "preciosidades", seu cantinho indevassável.

Ninguém suportaria viver, se a cada noite tivesse que procurar onde dormir e um cantinho onde seus pertences estivessem seguros. Uma vez dentro da moradia, cada proprietário, inquilino ou invasor tem o seu cantinho.

Todos nós temos um **cantinho inviolável** também na mente onde guardamos os maiores segredos, sejam lá quais forem, até mesmo o código do cofre da alma.

Desse cantinho material e da mente só há uma chave que não se empresta a ninguém. Seria uma invasão imperdoável alguém espiar ou mexer nesse cantinho. Sob qualquer risco, o cantinho rapidamente é mudado de lugar.

Porém, perde o direito a ter seu cantinho ou vida privativa o filho que começar a usar drogas, pois é lá que ele guarda, ou esconde, o que usa. A droga atinge não somente o seu usuário mas também seus familiares, e mais tarde a escola, o trabalho e a sociedade.

Portanto, respeitar cantinho do usuário passa a ser negligência dos pais. Perde o direito à individualidade quem dela fizer mau uso.

Ter um cantinho indevassável não prejudica a sua Alta Performance.

UMA MORADIA, DIFERENTES TERRITÓRIOS

Os jovens filhos são mais aventureiros e energizados para mudanças que os velhos, seus pais, que são menos plásticos e têm tendências a se fixarem em territórios e lá construírem sua moradia.

Mas não é raro o **território profissional do pai** estar em outras cidades, outros bairros e até outros países. É uma vida difícil e sacrificada para todos, os que ficam e os que vão.

O território dos jovens é aquele onde possam ver e serem vistos por outros jovens, principalmente os do outro sexo. É onde encontrar seus pares com quem querem estar juntos e compartilhar aventuras, competições, festas, esportes, disputas, falas, contestações, brigas, jogar, falar alto, gargalhar e uma infinidade de outras ações que eles podem criar na hora.

Sua moradia não tem tantas exigências quanto a dos seus pais. Não é à toa que muitos jovens acham enfadonho morar com os pais em cidades pequenas. Não que a moradia seja detestável, mas é que o seu território fica muito restrito e, assim, sua performance social fica muito baixa.

O cantinho dos jovens traz as características deles. Gostam de pintar as paredes, fazer a própria decoração, privilegiam o conforto no lugar da estética e o casual em vez do formal. Crianças gostam de quintal, e velhos, de jardins. Os pais querem paz e conforto, sem abrir mão da clássica sala de visitas. Uma moradia, tantos cantinhos...

Faz parte desta performance familiar o esforço de cada um para tornar a moradia agradável a todos e não transformá-la em miniterritórios e cantões individuais.

MORADIA IDEAL E CIDADANIA UNIVERSAL

Ter moradia própria, confortável, espaçosa, bem construída, bonita, saudável pode não significar ter Alta Performance se viver assustada, apreensiva, temerosa dentro dela, mesmo cercada de mil recursos de segurança. Uma moradia ideal nem sempre é fácil de ser conseguida, pois cada um dos seus moradores muda de desejos e necessidades conforme sua idade.

Quando o casal volta a ficar sozinho, decorrente da natural independência dos filhos, a moradia pode ficar grande demais. Ter Alta Performance em moradia seria:

- a. **ter segurança, conforto, espaços e cantinhos adequados para todos;**
- b. **não ter sacrifícios para sua manutenção;**
- c. **boa localização, boa ventilação e boa exposição ao sol;**
- d. **longe do barulho, mas perto dos locais mais frequentados pela família;**
- e. **prazeroso voltar para ela e nela conviver com os familiares;**
- f. **com territórios que atendam tanto os pais quanto os filhos;**
- g. **enfim, com excelentes vizinhos.**

Assim como cuidam de suas moradias, todos os habitantes da Terra têm que cuidar deste planeta. Temos que construir uma nova cidadania, a cidadania universal.

A frase “A Terra vai acabar.” significa que vamos perder a nossa condição de vida, nossa morada. Sem morada, não vivemos, como hoje não vivem os peixes fora da água.

A **cidadania universal** começa não só não jogando lixo pelas janelas dos veículos, pelas portas da casas, pelos escapamentos e chaminés de todos os tipos mas também, não extraindo nem acabando com as nossas fontes de vida na Terra.

A falta de cidadania universal já provocou muitos danos à vida através do buraco na camada de ozônio; efeito estufa; elevação dos níveis dos mares; catástrofes da natureza, chuvas torrenciais, secas, ciclones, incêndios, furacões, enchentes, inundações etc. Para completar a Alta Performance é preciso também da ajuda da comunidade e das forças da natureza.

TER CONHECIMENTO

Hoje vivemos a era do conhecimento. Quem ajudou a passar da era da informação para esta foi Bill Gates; quando fundou a Microsoft, ele disse que o mundo deveria ter as informações na ponta dos dedos.

Gates quis dizer que todos os habitantes da Terra poderiam ter computadores e acessar a internet para ter todas as informações de que precisassem. Assim, as informações não mais seriam instrumentos de um poder específico.

Informação é algo novo que uma pessoa recebe. É sobre ela que se constrói um conhecimento que deve participar das suas futuras ações e/ou pensamentos. Enfim, conhecimento é uma informação em ação. Performance melhora na mesma proporção em que se aumenta o conhecimento.

ETAPAS DA CONSTRUÇÃO DO CONHECIMENTO

Desde a entrada da informação na pessoa até a sua transformação em conhecimento ocorrem 6 etapas:

1. Receber a informação

Podemos receber a informação não só de fora, ambiente, para dentro do organismo através de todos os órgãos do sentido:

visão, audição, olfação, paladar e tato, como também da própria ação ou pensamento, portanto de dentro para dentro.

Não é tudo o que chega é que percebemos. Receber significa selecionar o que nos interessa do tudo que estamos recebendo. Com um olhar, percebemos muito mais do que o foco do nosso olhar. Fotografamos mentalmente tudo o que está no campo visual provisoriamente e aquilo que nos chama a atenção fica com um registro maior que o restante.

Receber significa fazer o cérebro trabalhar a informação que chega. Trabalhar significa procurar uma lógica, um entendimento, um fazer sentido, buscar um significado.

Nesse sentido, nem tudo o que imaginamos faz sentido, isto é, mesmo produzido pelo próprio cérebro não aproveitamos, isto é, não recebemos.

2. Aprovar ou não a informação dentro de si

Uma vez recebida a informação pelo cérebro, ela passa por uma avaliação interna, que a aprova ou não, por uma série de razões: é simpática; é prazerosa; é útil; traz vantagens; melhora a qualidade de vida; agrega valores ao que já sabe; aumenta a competência; eleva a autoestima; estimula poder, respeito, fama, status etc.

O cérebro de um comerciante ao entrar numa floresta, trabalha o valor financeiro da floresta; o do naturalista, a natureza; o do biólogo, os tipos de vida existentes. Cada cérebro tem uma *recepção* diferente, apesar de a floresta ser a mesma. Assim também o cérebro de um aluno interessado em aprender aprova tudo o que leva ao aprendizado, melhorando sua performance em conhecimento.

Existe uma **aprovação involuntária** que o cérebro usa. É quando o aluno aprova ou reprova instintivamente o conteúdo que chega a ele com "eu gosto" ou "eu não gosto" ou "me interessa" ou "não me interessa".

Há disciplinas que o aluno precisa estudar, gostando ou não. É quando entra a *aprovação voluntária*, a da obrigação, a do dever. "Não gosto, mas preciso aprender por causa do vestibular".

A educação que ensina o aluno a aprender as matérias que involuntariamente reprova é a mesma que desenvolve a disciplina para fazer o que precisa fazer e não somente o que gosta. Os que vencem na vida em geral não são somente aqueles que gostam do que fazem mas os que também superam as dificuldades. Estes são os que têm Alta Performance profissional e de vida.

3. Assimilar a informação

Todas as pessoas, das mais cultas às mais simples, têm dentro de si um corpo de conhecimentos adquiridos e construídos ao longo de sua vida.

A **assimilação** é a integração da nova informação no corpo de conhecimentos já existente. Cada pessoa assimila com mais facilidade quanto maior for o corpo dos conhecimentos que já tiver.

Um corpo físico assimila uma comida e fica forte. Mas quando o comer passa a ser mais importante que o corpo, a pessoa foi assimilada e constrói um novo pensamento que não funciona. Não é porque se desenham asas de pássaro em peixe que este se transforma em ave. Se uma informação for muito complexa, ela tem que ser dividida em partes para ser assim compreendida para entendê-la toda. Quanto maior for o número de divisões, menos preparado está o corpo de conhecimentos. Para compreender uma proposta, usamos a técnica do "vamos por partes", isto é, "vamos mastigá-la".

Quando o corpo de conhecimentos de uma pessoa assimila uma nova informação, ele fica tão entusiasmado quanto um adolescente que ganha o seu sonhado e desejado par de tênis. Parece que ele ganha vida nova.

4. Avivar a informação

Avivar (**vivificar**) a informação nova é colocar nela um sentimento, uma preferência que a destaca das demais que assim perde aquela neutralidade que tinha antes de ser assimilada. Agora ela ganha um lugar especial no cérebro e fica num estado de prontidão a ser usada na primeira oportunidade.

É como o par de tênis novo que ganhou vida para o adolescente. Ele quer usá-lo a toda hora, não importa a adequação. É um querer mostrar, não perdendo a oportunidade de se relacionar, de se mostrar, de ser visto, de agregar enfim valor nas próximas ações.

Numa palestra minha, uma mulher recebeu e assimilou uma importante informação: crianças têm que guardar os brinquedos. Ela sempre catava todos os brinquedos fora de lugar e os guardava. Ao chegar em casa, após a palestra, ela viu um brinquedo fora de lugar. Ela teve o impulso de guardar. Mas dessa vez ela não guardou. Cada vez que ela olhava o brinquedo, parecia que ele crescia, como que lhe pedindo uma atitude. O brinquedo foi vivificado. Quando pôde, ela chamou o filho e apontou para o brinquedo, que ele imediatamente guardou e ainda lhe pediu desculpas.

Antes de receber informação o brinquedo era um simples brinquedo fora de lugar, mas agora esse brinquedo tinha vida e representava um gesto de não cidadania familiar.

5. Experimentar o conhecimento

Quanto maior for o corpo do conhecimento da pessoa, maior é a facilidade de assimilação e vivificação. O que está vivo dentro de si está pedindo para ser experimentado e usado.

Experimentar significa pôr em prática uma teoria ou comprovar um ideia. Diz o ditado popular que *na prática a teoria é outra*. O que esse ditado quer dizer é que o conhecimento que vem da teoria tem bases que muitas vezes a prática não usa.

Andar de bicicleta é um belo exemplo. Tudo o que se estuda sobre bicicleta tem pouco a ver com a prática de andar nela. Muitas pessoas, sem um mínimo de estudo, sobem pela primeira vez numa bicicleta e saem pedalando. Essa experimentação faz parte da inteligência motora e não das ciências exatas.

Por maiores que sejam os estudos em bicicletas, se nunca se montou numa delas, não se pode dizer que se sabe andar de bicicleta.

A primeira experimentação da informação pode sair desajeitada e não atingir o objetivo esperado. Não significa que a informação seja ruim, mas falta-lhe a prática.

6. Praticar o conhecimento

A prática é a mãe da sabedoria e vai trazer a excelência para a ação. Quando não se pratica, aos poucos o conhecimento vai adormecendo, perdendo-se a prontidão. Mais importante que deixá-lo adormecer, é colocá-lo em uso sempre que puder, para melhorar a performance. O conhecimento assim se transforma em sabedoria emanada pela pessoa em cada pensamento, palavra e ação.

Os exercícios de matemática, de física, de química nada mais são que usar na prática o que se aprendeu na teoria. Uma informação só se usa como ela é. O conhecimento pode ser desmontado, recomposto, aplicado de uma maneira diferente, transposto de uma ciência para outra, inovado, reinventado.

Tais exercícios são extremamente importantes quando os **alunos praticam** o que já estudaram teoricamente, pois obrigam a mente a buscar soluções aplicando as teorias, confirmando assim a construção do aprendizado.

Para se construir um conhecimento, estuda-se todos os dias. Quando os pais não têm tempo para acompanhar as lições diariamente, que busquem uma forma de viabilizar o acompanhamento. É uma educação orquestrada e não um crescimento natural.

Filho com seu desenvolvimento orquestrado mas não escravizado pelos pais têm Alta Performance.

"DECOREBA" NÃO É CONHECIMENTO

Outro exemplo altamente depressivo é o estudar de última hora para a prova escolar. Quem assim o faz, não está construindo o seu conhecimento, mas mobilizando um recurso para ser aprovado.

Esse recurso é a "decoreba"[73]: receber muitíssimas informações em pouco tempo para soltá-las na prova escolar. É uma memorização provisória para ser conservada até hora da prova. Depois da prova, **o cérebro deleta o que decorou**.

Tais informações ficam como que flutuando numa memória provisória até serem colocadas para fora, portanto, a "decoreba" torna a matéria perecível e descartada. Tão perecível que se não for usada a tempo, é esquecida e descartável. Se for despejada uma vez, não há como usá-la outra vez, num outro dia, numa outra prova.

[73] Veja no livro *Ensinar Aprendendo*: Novos Paradigmas na Educação, p. 115.

A performance desse tipo de estudo é sofrível, é do tamanho da nota que se recebeu... Sem tanto esforço, estudando diariamente, sua performance melhoraria pois o aluno estaria investindo na aquisição dos conhecimentos que lhe será útil para qualquer atividade que for exercer.

PEIXE É PEIXE

A construção do conhecimento se faz assimilando-se novas informações ao corpo do conhecimento já existente. Reflita sobre esta parábola:

> *Peixe é peixe*
>
> *Um peixe queria saber como era a vida fora da água... Ele fez amizade com um girino e lhe pediu que quando crescesse e fosse lá fora, voltasse e contasse a ele como era a vida lá. O girino transformou-se em uma rã e foi morar lá fora. Após semanas a rã volta e relata ao peixe o que ele viu. Há pássaros lá fora. O que são pássaros perguntou o peixe. A rã explicou que eram seres com asas e voavam. Mas o que são asas? E a rã pacientemente explicou e falou de vacas que dão leite. Vacas tem úberes e tem pessoas, que andam sobre dois prolongamentos. E o peixe deu-se por feliz. Agora sabia o que eram pássaros, vacas e gentes. Então a rã pediu para que o peixe os desenhasse. O peixe desenhou um* ***peixe com asas****, um peixe com úbere e um peixe apoiado nas barbatanas traseiras...*[74]

O que esta história quer dizer é que as *pessoas constroem um novo conhecimento com base no seu conhecimento presente.*

[74] John D.Bransford. *Como as Pessoas Aprendem*: cérebro, mente, experiência e escola, p. 28.

Como então poderiam os alunos aprender o que os professores estão ensinando, se os próprios professores reclamam que os alunos já chegam sem base?

Assim, o sistema de ensino acaba desmoronando no 9º ano, quando 60% dos alunos concluem o ensino fundamental sem saber escrever corretamente nem interpretar um texto. Que performance profissional terão esses alunos? O que será do Brasil, quando esses alunos chegarem ao mercado de trabalho?

BRASIL APROVA E O MUNDO REPROVA

A Revista Veja de 20 de agosto de 2008, traz na sua capa:

> *...Os estudantes brasileiros são os piores nos rankings internacionais mas... mais de 90% dos professores e pais aprovam as escolas.*[75]

Como podem os pais e professores **estarem satisfeitos** se 60% dos estudantes chegam ao final do 9º ano sem saber interpretar um texto ou efetuar operações matemáticas simples? Professores, pais e alunos desconhecem aonde deveriam os alunos ter chegado. Ficarem satisfeitos com o que têm, sem conhecimento do quanto lhes falta são fatores altamente preocupantes:

a. **estamos estragando nossa juventude, fazendo-a praticamente perder preciosos anos de estudo, fingindo que são bons alunos porque são aprovados;**
b. **estamos acomodados na satisfação do pouco que conseguimos e nem revoltados ficamos por nem imaginarmos o tamanho do prejuízo. O mundo anda de carro enquanto estamos engatinhando;**

[75] Veja. (2074) ano 41, n. 33, 20 de agosto de 2008 São Paulo: Abril.

c. **confiamos que os nossos filhos sejam o máximo no futuro, produzindo o mínimo na escola no presente. Não estamos preparando nosso Patrimônio Intelectual;**
d. **qual é a capacitação que estamos deixando para os nossos filhos administrarem o país que em breve lhes deixaremos? Como uma pessoa que é minimamente preparada pode competir num mundo globalizado?**

A performance educacional no Brasil está muito fraca.

OS 5 PASSOS DA SABEDORIA [76]

Estes 5 passos mostram o que acontece com a pessoa no seu comportamento à medida que seus conhecimentos se ampliam, isto é, sua performance cresce.

ETAPAS DOS PASSOS DA SABEDORIA:

1. Ingenuidade

Os brasileiros viviam bem com os seus automóveis. Até que o presidente Collor os chamou de "verdadeiras carroças". Ofendeu muitos ignorantes. Depois que conheceram como eram os carros atualizados, os brasileiros concordaram com Collor.

Quem tinha a "carroça" estava orgulhoso do seu carro. Mas ele não sabia que o carro dele já estava muito ultrapassado em relação aos carros estrangeiros. Do mesmo modo, a **ingenuidade** leva a pessoa a acreditar que está fazendo o melhor, que sua performance está excelente.

O ingênuo nem sabe que não sabe.

[76] Veja no livro *Ensinar Aprendendo:* Novos paradigmas na educação, p. 54.

2. Descoberta

Pelos comentários que recebe das pessoas, a pessoa ingênua acaba descobrindo que nem sabia que não sabia. Agora descobriu que não sabe. Toda descoberta leva a um dilema. Permanece-se como está ou se avança para um mundo novo? Os que permanecem ficam defasados, obsoletos e complexados, pois agora sabem que não sabem. Os que avançam, descobrem novidades e novas oportunidades que não enxergavam antes.

Aquilo que não sabia, e agora é claro, passa a envergonhar as pessoas.

Agora ele sabe que não sabe.

3. Aprendizado

É do humano o ser curioso, querer saber mais, querer conhecer, **querer aprender**. Para isso conta com os cinco sentidos da sensopercepção: ver, ouvir, cheirar, saborear, tatear.

O não querer aprender tem várias causas: falta de motivação, dificuldade em encontrar quem ensine, trauma psicológico, sofrimentos etc. Trauma é quando o ensinante é horrível porque ele grita, agride, ofende, é rigoroso, é exigente, é tirano etc. O aprendiz sofre tanto que aniquila dentro de si o interesse em aprender.

É neste passo que acontecem as seis etapas da construção de cada conhecimento.

Então, ele aprende o que não sabe.

4. Experiência

Quando o humano aprende algo, quer experimentá-lo, imaginá-lo funcionando e confirmar pela ação prática. Essa experimentação confirma a viabilidade prática. Na **experiência**, o humano usa tudo o que já conhece, para testar algo novo.

Na Mitologia grega, Ícaro foi o primeiro homem a voar com asas feitas de penas de aves, coladas com cera e movidas pelos seus braços. Mas ele não poderia voar tão perto do Sol que derretesse as ceras e nem tão próximo ao mar que molharia as penas. Sentiu-se tão atraído pelo Sol que foi em sua direção, as ceras derreteram e Ícaro morreu ao caiu no mar.[77] Não adianta pôr asas de pássaros em peixe que ele não voa. Nem o humano voou, apesar de ser possível imaginá-lo voando.

Ele experimenta o que aprendeu.

5. Sabedoria

Quando os resultados das experiências são bons, o humano os põe em prática, isto é, usa-os como se já fossem velhos conhecidos, isto é, sabe do que precisa, como fazer e o resultado a esperar.

De tanto fazer, a pessoa nem precisa mais pensar para fazer. Simplesmente faz. A dificuldade existe para quem não conhece, isto é, ainda nem experimentou. Quem sabe dirigir, senta e dirige. Não fica pensando quais os instrumentos acionar para se movimentar. Simples assim. Quem tem muitos conhecimentos é considerado sábio, e o que ele tem é **sabedoria**.

[77] http://www.algosobre.com.br/mitologia/icaro.html (Acesso em fev. 2009).

É nesse estágio que ele constrói novos conhecimentos, que outros ainda nem sabem que existem. Ele trabalha com vários conhecimentos já construídos e descobre novos conhecimentos.

O sábio nem se lembra do que já sabe, pois quer aprender sempre.

MENTE EXPANDIDA NÃO SE RECOLHE MAIS

Morre quem não tiver conhecimentos para sobreviver a um inverno rigoroso ou ao tratamento de sua doença. Sobrevive quem os tiver.

Um cérebro que se expande com um aprendizado não se recolhe jamais. Para quem usa telefone celular, torna-se complicada a vida sem ele. Quem vai de ônibus não quer mais ir a pé. Quem tem carro não quer andar de ônibus. Quem conhece antibióticos não quer morrer de infecção. Dessa maneira, com novos conhecimentos, abrem-se novos paradigmas que mudam nossa vida.

Antes de Nicolau Copérnico, 1473-1543, astrônomo polonês, apresentar a sua teoria do heliocentrismo (A Terra gira em torno do Sol), até o **Papa acreditava no geocentrismo** (O Sol gira em torno da Terra). Era queimado vivo, em praça pública, quem tivesse a heresia de negar a verdade absoluta do geocentrismo.

Conhecimentos novos quebram velhos paradigmas. Os conhecimentos que fui adquirindo ao longo destes 40 anos de vida profissional quebraram vários paradigmas educacionais da família e da escola.

As maiores descobertas no mundo vieram de pessoas que, insatisfeitas com o que já existia, quiseram dar um passo além. Essas descobertas e invenções não só deram satisfação aos seus descobridores como deixaram o mundo melhor.

Num mundo em expansão, o impossível existe até um alguém de Alta Performance torná-lo possível.

O MERCADO TAMBÉM EXPANDIU SUA MENTE

Hoje não se ouvem mais tantas vozes contrárias aos revolucionários inventos, dizendo que eles vieram para ameaçar a santa paz em que o mundo vivia, nem que a televisão, o telefone, o celular, a internet não iriam sobreviver.

Os pesquisadores hoje estão trabalhando para descobrir o que as pessoas nem sabem que querem. Os médicos mais atualizados já não dizem que tal doença não tem cura, mas afirmam que há muitos pesquisadores trabalhando nesta busca...

Um mercado também acompanha as mudanças e os avanços. O que **o mercado quer** é melhor qualidade de vida. No Brasil, logo haverá mais telefones celulares que população. Os celulares estão sendo usados... até para falar. Bom humor à parte, o celular tem tantas funções que não é raro encontrar pessoas que não usam mais nem o relógio de pulso. Outros acessam a internet, visitam sites, ouvem rádio, músicas, televisão, organizam agendas de atividades de onde estiverem, num bar, na fila de espera, na praia, aonde chegam com ajuda do GPS...

O mercado expandido pelo celular não volta ao seu tamanho original. Isso é a manifestação global da expansão individual. Coitado de quem esquecer o seu celular em casa como também as "verdadeiras carroças" não são mais tão desejadas.

Mercado de alta exigência vai precisar de pessoas de Alta Performance. Quem deixou de acompanhar os avanços, vai ficar simplesmente obsoleto.

EXERCITANDO A ALTA PERFORMANCE

Leu. Gostou? Conte passagens do livro para quem estiver interessado. Procure quem já leu para trocar ideias sobre o que interessar. Tente entender cada sentença. Memorize algumas frases de impacto, expressões interessantes.

Numa segunda leitura, o seu foco de atenção muda, pois agora já sabe a história então pode se dedicar a detalhes ainda não percebidos. Sua performance melhora.

O conhecimento maior virá com a prática, e com esta, a sabedoria. Quanto mais você desenvolver a leitura, tanto mais prática adquire e as leituras passam a render mais. Quanto maior o seu leque de conhecimentos, mais você pode participar de conversas nas quais antes você era só ouvinte.

Malcolm Gladwell, no seu livro *Fora de Série*[78], diz que para se ganhar excelência em qualquer atividade é preciso que se tenha pelo menos **dez mil horas de prática**. Excelência é Alta Performance.

Como conseguir praticar dez mil horas de um esporte? É preciso gostar, ter aptidão, estar na época adequada, uma comunidade que o alimente e exija, disciplina e muita motivação.

Altíssima Performance é o resultado final de uma soma de condições favoráveis, e a falha numa delas pode seria ser fatal. Se Michael Phelps tivesse pertencido a uma comunidade que não o alimentasse nem exigisse resultados, mesmo nos Estados Unidos, talvez não seria hoje o maior campeão olímpico de todos os tempos.

PERTENCER A UMA COMUNIDADE

Comunidade é um grupo social cujos membros se reúnem pelos mais variados motivos: etnia, religião, país, bairro, cultura, história, esporte, arte etc., e até simplesmente por terem alguma afinidade. No Orkut há milhares de comunidades, e cada partici-

[78] Malcolm Gladwell, *Fora de Série*, p. 220.

pante pode criar quantas comunidades quiser. Quem quiser pertencer ao Orkut basta ser indicado por um dos seus participantes.

Não há quem não pertença a nenhuma comunidade, pois mesmo que seja esta a vontade, as outras pessoas o(a) incluirão num grupo ou comunidade tipo dos solitários, dos esquisitos etc. É nas comunidades que todos têm os direitos de pares (relacionamentos horizontais), mas organizam-se segundo uma hierarquia de liderança e poder (relacionamentos verticais).

Os países têm seus mandatários e governados; as igrejas, suas santidades e seguidores; as famílias, seus provedores e dependentes; as aulas, seus professores e alunos.

O menor relacionamento humano que é o constituído por duas pessoas e pode formar uma dupla funcional e alternar suas lideranças, conforme as suas funções e momentos. Começa com o relacionamento pai único ou mãe única com seu Filho Único e abre o leque para um mundo de possibilidades.

Sem comunidade, não teríamos desenvolvido a humanidade, nem talvez tivéssemos humanos saudáveis. Uma família sozinha não perpetua a espécie dos humanos pelos já consagrados problemas da consanguinidade.

É também graças às comunidades que uma pessoa pode atingir sua máxima Alta Performance.

CASAMENTOS NÃO RECOMENDADOS

Na maioria das culturas não pode haver casamentos entre irmãos, pais e filhos e até primos. Algumas culturas permitem casamento entre primos.

A doença do **sangue azul** que atacou famílias reais e nobres na Idade Média, não era por nobreza, mas por problemas de consanguinidade, provocado por defeito genético que gerava problemas cardiorrespiratótios e consequente diminuição do oxigênio no sangue.

Um material genético – DNA – novo, evita doenças hereditárias, pois não reforça a ação dos genes recessivos. Na junção dos DNAs de uma mesma família, os genes recessivos se reforçam e podem promover os surgimentos de doenças e/ou distúrbios biológicos e psíquicos[79].

Seria esse o verdadeiro motivo das gentilezas do esquimó ao seu visitante, ao oferecer-lhe a sua esposa? Talvez os esquimós nada conhecessem de DNAS, mas percebiam o quanto eram saudáveis os filhos resultantes dessas gentilezas.

O filme The Savage Innocents, *traduzido para o português como* Sangue sobre a Neve, *de 1960, mostra o esquimó Inuk, representado pelo imortal ator* Anthony Quinn, *oferecer sua esposa a um missionário. Este não entendeu a generosidade de Inuk e recusou o presente. Inuk sentiu-se ofendido e matou o missionário. É um filme riquíssimo no trabalho do choque cultural.*

GENTE GOSTA DE GENTE

A **religiosidade** é a força relacional instintiva de os humanos se agruparem com outros humanos. É gente gostar de gente, e entre elas formarem os mais fortes vínculos existentes na natureza viva. A religião é uma construção das mentes humanas, espiritualizando a religiosidade.

A religiosidade foi maior que a religião quando um rapaz católico casou com uma moça judia. Haviam se conhecido em

[79] http://super.abril.com.br/superarquivo/ (Acesso em fev. 2009).

ambientes sociais não tão religiosos. Enquanto existiu o amor, foi tudo lindo e construtivo. Superaram as diferenças culturais e tiveram um filho. A prática da convivência de cada um com a sua própria comunidade religiosa não era muito forte. Depois que se desentenderam, aí apareceram os conflitos religiosos. A separação foi uma impiedosa guerra santa, que vitimou toda a família. A Alta Performance Transcultural, que resultou num casamento com filhos, caiu muito não só pela separação mas pelos conflitos culturais que passaram a valer.

Esse casamento simboliza a moeda transcultural. Em momentos de amor e paz, vale a face dos enriquecimentos, composições e integrações pelas semelhanças culturais. Nos momentos de briga, vale a outra face dos conflitos religiosos, brigas e separações pelas diferenças culturais.

DIFERENTE NÃO É DESIGUAL

A **pessoa desconhecida** não é melhor nem pior que nós, mas apenas diferente ou desconhecida. Um médico pode ser uma pessoa desconhecida e diferente. Por que confiamos nele? Porque ele é o profissional de que precisamos naquela hora.

Se tivermos opções de ser atendidos por pessoas conhecidas da mesma comunidade, será mais fácil estabelecer o laço de confiança. Devemos, porém, qualificar o médico não pela amizade mas pela sua competência.

Pertencer à comunidade é fazer parte integrante de um grupo maior que a própria família. Ali se vivem as diferenças irmanadas pelo espírito comunitário. Cada diferente pode ajudar com as suas próprias características enriquecendo o resultado final.

A performance pessoal melhora na presença de pessoas desconhecidas, se com elas a pessoa aprende as diferenças, em vez de combatê-las. Com pessoas iguais, ela pode ter uma vida mais cômoda, mas não há estímulos para tanto crescimento.

Ninguém gosta de ser totalmente igual a outra pessoa, nem muito parecida. São as pessoas que querem se diferenciar. Ao se destacar da massa de iguais é que melhoram sua performance.

NINGUÉM ESTÁ SOZINHO

Quando pergunto em palestras em grandes eventos para a Educação quem é de qual estado do Brasil, um grupo se levanta e festivamente acena as mãos. Recebe aplausos dos outros grupos. Esse "pertencer" lhe dá uma identidade no meio de um mundo de pessoas não conhecidas. Se houver uma **pessoa desgarrada**, isto é, sozinha por ser ela a única representante do seu estado, ou ela procura a comunidade regional ou é procurada por ela. Assim não mais estará sozinha. Seu crachá a identifica e a integra naquele evento.

A comunidade é sempre representada por pessoas que se conhecem ou não, que têm alguns interesses comuns como local de origem, ideologia, clube, cidade, esporte, escola etc.

Mesmo uma pessoa que não tenha uma boa formação familiar, pode aprender a ter Alta Performance pertencendo a uma comunidade, estimulada pelas ações comunitárias a fazer um bem para outras pessoas. Os relacionamentos de autoajuda também trazem a autoeducação através dos pares.

As pessoas melhoram sua performance quando se sentem acolhidas pela comunidade, mas pioram se isoladas dela.

COMUNIDADE E FAMÍLIA: AJUDA MÚTUA

A permissividade e a impunidade familiar um filho não as vai encontrar na comunidade.

Atendi uma senhora, cujo filho, jovem, deixava a torneira totalmente aberta enquanto escovava os dentes e achava ruim quando ela lhe chamava a atenção. Houve um trabalho na escola de Preservação dos Mananciais da Cidade e esse filho teve nele brilhante atuação. Como o filho defendia os mananciais da cidade e não fechava torneira em casa? Para ele, casa era casa e cidade era cidade, e não um sistema integrado. O trabalho comunitário, porém, fez o filho entender o que sua mãe lhe dizia. Passou a controlar o seu desperdício de água, inclusive ajudou a mãe a varrer a calçada para não lavá-la mais com esguicho de água.

A comunidade pode estimular a prática da cidadania a um adolescente e este ao chegar à sua família torna-se um praticante da cidadania familiar. É o que aconteceu com o jovem.

O contrário é mais fácil de ser aplicado. Se a família começa a praticar a **cidadania familiar**, o filho leva para a comunidade o seu próprio espírito cidadão. Esse filho consegue ver onde a sua ajuda é necessária na comunidade. Torna a vida da comunidade mais fácil.

A Alta Performance é pessoal e se já aparece em casa, fica fácil transferir para a comunidade e vice-versa.

FALTA CIDADANIA NA COMUNIDADE

A maioria das pessoas ainda está mais acostumada a usar e sujar sua cidade do que a cuidar dela. É comum vermos pessoas que jogam seu lixo nas ruas. Apesar de termos melhorado bastante nestes últimos anos, ainda falta muito para termos um bom padrão cultural da preservação do planeta.

Cada vez mais temos maiores conhecimentos sobre os resultados de nossas ações no planeta. Sentimos a importância de se ter cuidado especial com a nossa morada na Terra.

Quem **cuida da moradia** aprende fácil a cuidar da morada. Da moradia podemos nos mudar, mas da Terra não podemos ainda sair. Assim não podemos simplesmente ser predadores, pois em última instância essa predação atinge cada um dos terráqueos. O que atinge o nosso vizinho também pode nos atingir. Se cuidarmos dele, estamos cuidando de nós mesmos.

A Alta Performance de pertencer a uma comunidade nos estimula a nos organizarmos para o bem maior e nos desperta para cuidados que não estávamos acostumados a ter.

Hoje as grandes empresas estão preocupadas não só nos resultados financeiros mas também no quanto estão fazendo bem às pessoas, à natureza, ao planeta. Essa preocupação tem que chegar a cada um de nós para que todos melhoremos nossa performance de Vida.

GRATIDÃO

Num dos meus livros[80] faço um agradecimento instigante:

> *Agradeço*
> *A meus pais a "predisposição genética" a ser feliz;*
> *A Deus por ter sido tão "mimado" por Ele.*

[80] Veja no livro *Amor, Felicidade & Cia*, p. 5.

Na primeira frase, agradeço por ter nascido biologicamente normal, com forte instinto de sobrevivência e disposição incrível para viver bem. Nada mais fiz a não ser desenvolver com tudo o que eu nasci. Na segunda frase, afirmo que Deus me brindou, ao longo da minha vida, com pessoas maravilhosas, iluminadas pelo amor. As pessoas do mal, claro que as tive, mas eu as deletei e não as carrego comigo.

Mesmo que não tenha sido educado para ser agradecido, qualquer um teria a sensibilidade natural para **sentir gratidão** aos seus pais por ter nascido, e a Deus (vida, natureza, humanidade, civilização etc.) pelo mundo que o recebeu.

É impressionante como um adolescente rebelde maltrata seus próprios pais. Ele só vai compreender as ações e as palavras do seu pai quando for pai.

Quem nunca foi pai, ou mãe, pode até compreendê-los, mas nunca sentirá de fato como um pai, ou uma mãe se sente. Quem não é grato aos próprios pais também não é grato a estranhos. Em geral pessoas com Alta Performance trazem a gratidão dentro de si.

GRATIDÃO À COMUNIDADE

Gratidão significa um reconhecimento pelo benefício recebido. É impossível que uma pessoa nunca tenha recebido nenhum benefício na vida. Exercer cidadania é uma pequena *retribuição pelo tanto que se recebe da sociedade.*

Qualquer benefício que tenhamos custou algo a alguém um dia:

a. **Colheu uma flor? Quem a plantou?**
b. **Sentou num banco? Quem o construiu?**

c. **Sociedade amigos do bairro? Quem a mantém?**

d. **Telefone celular? Quem paga a conta?**

Reflita comigo: quais foram os benefícios de que você já usufruiu por causa do seu celular? Quanto dinheiro você gastaria para conseguir tudo isso sem o celular? Não é pouco o que você paga por tanto benefício?

Nem precisamos refletir para descobrir que a cada ação nossa existem outras de muitas pessoas que nos favoreceram. Não seria digno se não lhes agradecermos.

Tudo isso faz parte da grandeza do ser humano na civilização. Não só criar mas preservar o já criado e prever o que brevemente será necessário. Esse prazer aumenta sua performance pessoal, que será maior ainda se você conseguir retribuir para a comunidade naquilo que é o seu forte.

A pessoa fechando-se em si mesma é pequena demais para ter autossuficiência e sustentabilidade e é grande demais para deixar de contribuir para a comunidade à qual pertence.

SER CIDADÃO ÉTICO

É impressionante como a sociedade aprecia os vitoriosos. Não avaliamos em geral os métodos utilizados por eles para vencer, mas ficamos horrorizados quando sabemos o quanto a ética é esquecida neste país.

Para a maioria, o mal está associado ao que é feio, sujo, mal encarado, calado, malvestido, àquele de quem não gostamos ou a quem temos antipatia. Confiamos mais nas pessoas bonitas, de boa aparência etc. Mas há bons entre os feios, e maus entre os bonitos.

Assim, funcionários de edifícios podem acabar liberando toda a parafernália de segurança para quem pode assaltar os moradores e podem tratar mal os que têm aparência pobre ou sejam tímidos, os quais não lhes fariam mal algum. Baixa performance onde há preconceitos.

Estas observações mostram o quanto é importante uma pessoa ser ética e não ter preconceitos com quem quer que seja. É nos primeiros segundos, baseados na aparência, nas vestes, na fala, que formamos uma opinião sobre uma pessoa. Mas pode ser uma avaliação preconceituosa, o que diminui muito nossa performance relacional.

Se de uma pessoa formarmos uma opinião positiva, tudo lhe será facilitado, mas, se esta for negativa, ficamos tão desconfiados que nos tornamos mais exigentes que o necessário.

ÉTICA É RESPEITAR A VIDA

Vi na televisão um jornalista perguntar a um pescador de baleias como ele conseguia dormir tranquilo tendo matado tantas baleias naquele dia...

O pescador respondeu com naturalidade que voltava com a sensação de ter cumprido bem o seu trabalho, que seus filhos teriam o que precisavam para viver, e que seu patrão estaria satisfeito com os bons resultados que ele conseguiu.

Entretanto, **a lei existe** para preservar e não para tirar a vida dos seres vivos. Pessoas que não foram educadas podem não ver mal em matar baleias. Quanto maior a necessidade de sobrevivência mais elas se justificam dizendo que matam para sobreviver. A lei permite que se matem as criações, seres vivos especialmente criados para servirem de alimento para os homens. Quando deixamos de educar os filhos, estamos favorecendo que estes façam o que quiserem e não o que deve ser feito.

Os pais assim financiam a formação de futuros delinquentes que não respeitam a vida de outras pessoas. Essa falta de ética de um filho fica evidente quando começa a sair sozinho de casa e adota a "ética" do seu grupo.

Os filhos fazem em grupos atos de vandalismos, pichações, brigas por territórios, roubos, assaltos, uso de drogas etc. São comportamentos que eles não teriam se estivessem sozinhos, mas eles não se opõem quando alguém os sugere. Faz parte da Alta Performance respeitar a vida, tanto a própria como a dos outros.

ÉTICA É MANTER O EQUILÍBRIO ECOLÓGICO

Em 22/12/2006 saiu uma reportagem publicada pela *Fonte Boa* (AM) com este título: *Amazonas volta a liberar caça de jacaré*:

> *Proibido há 40 anos, o abate é feito de maneira limitada em uma unidade de conservação no Amazonas, a pedido dos moradores* [81]

Matar jacarés, que era crime, passou a ser uma medida de preservação para o ser humano. Uma questão de valores que os pais têm que passar aos filhos por meio da educação.

Extinguir baleias é altamente constrangedor, assim como permitir que os jacarés continuem devorando os humanos. Assim, precisamos **atingir o equilíbrio** entre a existência e a vida do entorno. Ou seja, não se pode perder a noção do equilíbrio ecológico. Sem possibilidades de recuperar espécies extintas, temos que manter as ameaçadas.

Se a Terra não está suportando tantos habitantes, temos que conter o número deles, antes que se tornem pragas. O

[81] http://www.pnud.org.br/meio_am biente/reportagens

conceito de praga é termos algo mais que o necessário, que acaba se tornando prejudicial a todos.

É neste sentido que alerto aos pais e educadores: os valores pessoais que vão construir e manter a sociedade devem ser protegidos e não extintos. Quando permitimos que nossos filhos desequilibrem a ecologia dos costumes familiares, estamos deixando que o excesso de jacarés, da falta de limites e das transgressões cresçam a ponto de quase extinguir a vida dos pais nas famílias e dos professores nas escolas.

É baixa a performance de quem não respeita a ecologia com a qual todos devemos nos preocupar.

TER CIDADANIA

Qualquer pessoa que nasce em um país é seu cidadão. Cidadania é a qualidade que o **cidadão constrói** dentro de si.

Cerca de 6,5 bilhões de seres têm a Terra como a grande morada, mesmo que cada família tenha sua moradia. Uma pessoa pode limpar a sua moradia (cidadania familiar), varrendo a sujeira para a rua, mas estará sujando sua cidadania social.

As cidadanias familiar e social são complementares e muito importantes. Os efeitos da familiar são sentidos imediatamente e estão mais ligados às atitudes dos familiares. Mas as consequências da falta da cidadania social nem sempre são percebidas na hora, pois o retorno poderá se dar a longo prazo. Hoje pagamos o que levamos muito tempo para destruir na nossa grande morada.

Quero homenagear os milhares de cidadãos anônimos que com suas atitudes e ações melhoraram muito a vida da sua cidade. Faço isso com um agradecimento público ao honorável Herbert Gretz, um praticante de cidadania do cotidiano.

Um idoso jovem, de 90 anos de idade, construiu um corrimão numa escadaria pública que dava acesso à praça Vinte de Setembro, Itapeva-SP. Com 80 anos escreveu seu primeiro livro, estimulado pelo seu filho, professor Gretz. Hoje tem 31 livros publicados. Por onde passou, plantou muitas árvores e semeou cidadania. Foi por 40 anos presbítero de sua cidade. Até hoje atende um asilo para idosos, tocando sanfona. Ele, senhor Herbert, é um exemplo de cidadania do cotidiano.

AMIZADE ABRE PORTAS

Num dos seus poemas, Manuel Bandeira (1886-1968), membro da Academia Brasileira de Letras, escreveu:

> *"Vou-me embora pra Pasárgada*
> *Lá sou amigo do rei*
> *Lá tenho a mulher que eu quero*
> *Na cama que escolherei ...* "[82]

Nesse trecho do poema, Manuel Bandeira demonstra a importância da amizade. Em Pasárgada, paraíso imaginado, o mais importante é ser amigo do rei.

Somos amigos das pessoas que sentem amizade por nós. Lembro que *somos as pessoas que amamos e por quem somos amados*[83].

É preciso ser psicologicamente saudável para se entregar a uma amizade. Quem é desconfiado, controlador, inseguro, egoísta, ciumento, infantil, ensimesmado, psicótico, neurótico raramente consegue se entregar. E para complicar, a amizade

[82] Manuel Bandeira. *Bandeira a Vida Inteira*, p. 90, conforme http://www.releituras.com/mbandeira_pasargada.asp (Acesso em fev. 09).
[83] Veja no livro *Educação & Amor*, p. 59.

tem que ser mútua. Ou seja, a outra pessoa também tem que ser saudável.

Acima das qualidades individuais é preciso que haja também afinidade, respeito, admiração e condição profissional e social próximas para que o que seja fácil para um não seja difícil para o outro.

Amizade é tão importante que quem não tem amigos, inventa um. O amigo imaginário não é raro em crianças e adolescentes muito solitários.

Atendi uma garota de 16 anos, filha única de mãe única, que se trancava no armário e ficava horas brincando e conversando lá dentro. O que ela tinha era uma amiga imaginária. Trancava-se para poder conversar livremente com a amiga sem que sua mãe a achasse louca. O perigo era ela acreditar na existência real da amiga imaginária...

As pessoas que têm amigos melhoram muito suas performances pessoais, sociais e profissionais praticamente em todas as áreas.

AMIZADES ENTRE CASAIS

Se a integração de duas pessoas já é difícil, a de três é mais complicada, e com quatro então as complicações se multiplicam. Um dos cônjuges consegue manter amizade com uma terceira pessoa se incluir o companheiro.

Homens detestam acompanhar a mulher em compras. Minha mulher, antes de sairmos, já me pede para levar um bom livro. Eu a acompanho com prazer, mas detesto comprar roupas. Então fico lendo, o que adoro fazer, enquanto ela faz compras, que eu detesto, mas ela ama.

Bom mesmo para o casal é quando ele encontra outros casais e todos se dão bem. É **uma riqueza ímpar**. Bons programas não faltam, papos preenchem qualquer espaço, todo lugar fica bom pelas companhias que se têm, os aniversários como os sucessos são mais intensamente comemorados.

AMIZADE ENTRE IDOSOS

Diz um ditado árabe que realizado é o homem que teve um filho, escreveu um livro e plantou uma árvore. O livro é herança para a cultura, a árvore, para o mundo mas é do filho que o idoso vai receber o que precisa com muito carinho e amor.

É triste a vida de idoso solitário, sem filhos nem netos, que depende de terceiros. **Velhice é o fruto tardio da vida**, que vem anunciando a sua chegada aos poucos.

Vida de asilo não se compara com a de ser avós, na sua moradia, cercados de netos, "tocando" a vida, com refeições caseiras, sem horário para nada, fazendo o que tiver vontade de fazer.

Netos, por amados que sejam, cansam os velhos, que sentem a alegria, mas percebem a energia das crianças e não conseguem correr atrás deles.

As pessoas têm que ter Alta Performance durante a vida e garantir uma moradia confortável para receber seus familiares por uns tempos, mas que voltem depois para suas moradias. Receber os familiares é prazeroso, mas cansa.

O casal de idosos que teve uma vida unida tem sabedoria para conviver com esquisitices e virtudes um do outro, respeita "cantinhos" de cada um, nada a resguardar, tudo a compartilhar, inclusive para escolher um prato só num restaurante...

Quando têm amigos de longa data morando perto é uma dádiva, pois fazem programas juntos: visitas mútuas, praticam passatempos juntos, qualquer imprevisto é novidade, qualquer dificuldade vira uma piada, pois o que todos querem é viver alegremente, dentro do que conseguirem...

NETWORKING CORPORATIVO

Atualmente o mundo corporativo se beneficia muito do networking. Originariamente usada para o trabalho, hoje seu uso foi ampliado para a rede de contatos que as pessoas têm uma com as outras.

Em qualquer canto, sempre há pessoas que podem nos fazer chegar às pessoas pretendidas com diferentes objetivos. Basta que se tenha um bom networking. Hoje, uma pessoa vale também pelo networking que possui.

Com os avanços tecnológicos principalmente no ramo das comunicações e internet, com tantas comunidades e tremendas facilidades a se filiarem pelo Orkut, os relacionamentos podem ser banalizados.

Hoje muitos recém-formados enviam milhares de currículos para empresas na esperança de serem chamados para o trabalho. As empresas nem conseguem ler tantos currículos que chegam. É aí que funciona bem o networking. Alguém que indique alguém. Saem ganhando o indicador, o indicado e a empresa contratante. O networking ajuda, mas ser selecionado depende da competência do indicado.

Agendamentos de consultas com bons profissionais liberais, constituições de empresa, fechamentos de negócio e tudo o mais que depender de relacionamentos humanos podem ser acelerados pelo networking. A união faz a força, diz um ditado popular brasileiro. O networking favorece a união, acrescento eu e com esta força não há performance que não melhore.

NETWORKING FAMILIAR, PROFISSIONAL E SOCIAL

Conheço pessoas de muito valor que venceram praticamente sozinhos, os *self-made men*, e têm grande prestígio no seu meio, mas são solitárias estrelas individuais.

Essas estrelas que têm ainda muito combustível profissional, cabeças pensantes e atitudes progressivas, acabam não colhendo seus dividendos relacionais por não conviver com seus pares profissionais. É quando funciona o networking.

João Doria Jr., um grande e bem-sucedido empresário paulistano no ramo de comunicações e jornalismo, sabendo da importância do networking entre os empresários vencedores e seus familiares, com outros em situações semelhantes, idealizou um grande evento anual, o Family Workshop, que reúne os mais expressivos dirigentes de empresas do país, e que chegou à sua 5ª versão em 2009.

Tenho participado como curador de todos esses eventos, que têm propiciado aos empresários e aos seus familiares inúmeras **redes de relacionamentos**. Muitos desses filhos serão sucessores empreendedores que já terão na sua convivência outras estrelas que, com certeza, alavancarão o Brasil para melhor posição no ranking mundial do empresariado.

Acredito, assim, piamente na educação como formadora de futuros cidadãos éticos. Temos que preparar esta geração de jovens e crianças para receber o Brasil que estamos lhes deixando. Nosso Brasil merece este esforço de todos nós.

Através de cada networking do bem, não importa em que nível, a performance do país poderá melhorar muito

... e o mundo agradecerá ao Brasil !

Glossário

ADOLESCÊNCIA É um segundo parto, um nascer da família para entrar na sociedade, com as suas próprias pernas.

BATER EM UM FILHO Bater é a perda do controle da razão. Violência gera violência; além de não educar, portanto, é uma incompetência educativa.

BIRRA Não é perda de controle. É tentativa de controlar tiranicamente os pais.

BOA IMAGEM Filho ficar bonzinho de última hora só para conseguir o que quer.

CAMPANHA DA BOA IMAGEM Um filho, mesmo que escondido, continua fazendo o que não deve, até conseguir o que ele quer. Em geral é para recuperar a confiança dos pais.

CASTIGO Não educa uma criança e intimida os adultos. O que educa são as consequências.

CHUTAR, SOCAR, MORDER E CUSPIR? "Nem os animais merecem!" Assim também os filhos não merecem o destempero dos pais, nem os pais, o dos filhos.

CICLO BIOLÓGICO DA VIDA É o nascer-crescer-amadurecer-reproduzir-envelhecer-morrer.

CIDADANIA FAMILIAR Nenhum familiar deve fazer em casa o que não poderá fazer fora dela e deve praticar em casa o que deverá fazer na sociedade.

CIDADANIA SOCIAL Respeitar os ambientes e os seres viventes onde o cidadão vive, melhorar o local por onde passa e o qual frequenta, deixar melhor as pessoas que encontrou.

CIDADANIA UNIVERSAL Fazer tudo para preservar a vida no planeta Terra: 1. Não jogar lixo pelas janelas e portas, escapamentos e chaminés. 2. Não extrair as fontes de vida dos habitantes do planeta. 3. Manter a sustentabilidade da Terra.

CONHECIMENTO É informação em ação aumentando a Performance Pessoal.

CONSEQUÊNCIA, PRINCÍPIO DA É para que a pessoa identifique o erro e o corrija; e assim aprenda a não errar mais.

CORTISOL É o hormônio do estresse, produzido nas glândulas suprarrenais, que inibe a produção de melatonina.

CRESCIMENTO NATURAL Quando os pais soltam os filhos para estes preencherem suas tardes com brincadeiras e jogos espontâneos fora de casa entre irmãos, primos e vizinhos.

DESENVOLVIMENTO BIOPSICOSSOCIAL NA ADOLESCÊNCIA É minha visão sobre a adolescência levando em consideração a biologia, a psicologia e a vida social. Etapas: confusão pubertária; onipotência pubertária; estirão; menarca nas garotas e mudança de voz nos garotos; onipotência juvenil.

DESTEMPEROS EMOCIONAIS Quando a emoção invade a razão e a pessoa perde o controle relacional.

DISCIPLINA É qualidade de vida que nos capacita para conseguirmos melhores resultados com custo e esforço menores; é conseguir terminar o que se pretende.

EDUCAÇÃO ORQUESTRADA Quando os pais administram os estudos dos filhos, os cursos, os esportes, perguntam sobre as suas atividades, com quem se relacionam; enfim, estão presentes e estimulam a construção do conhecimento, a lidar com autoridade.

ENIGMA DA ESFINGE "Qual o animal que tem 4 patas de manhã, 2 ao meio-dia e 3 à noite?"

ESTILO ANIMAL DE VIDA É o estilo de vida em que a pessoa faz o que quer sem pensar se deve ou não fazê-lo, baseado praticamente nos seus instintos.

ESTILO CIDADÃO DE VIDA É o estilo de vida que adota todo cidadão que exerce a cidadania do bem.

ESTILO VEGETAL DE VIDA É a pessoa que vive como se fosse uma planta à espera de que outras pessoas façam por ela tudo o que ela mesma teria que fazer.

EXCLUSIVIDADE Baseada no egoísmo, distorce a formação da cidadania.

EXECUÇÃO, PRAZO DE Não há trabalhos, tarefas, empreendimento, provas, ordens e pedidos sem prazo de execução, até mesmo na educação.

EX-PAI Quando um homem se separa da esposa e esquece os filhos com ela. Cuida mais dos filhos da nova mulher do que dos seus que ficaram com a ex-esposa.

FALTA DE PARES No crescimento não dá ao Filho Único as oportunidades que vivem os filhos não únicos.

FEEDBACK É retroalimentar, isto é, ao receber um alimento, o filho manifesta seus sentimentos e pensamentos a quem o alimentou.

FILHO ÚNICO BIRRENTO, PERFORMANCE COM Pode melhorar desde que os pais mudem de atitude para enfrentar a birra.

FILHO ÚNICO NÃO É ANOMALIA Nem doença, como tais filhos eram considerados tempos atrás.

"FILHO ÚNICO É UMA DOENÇA" O americano G. Stanley Hall (1844-1924), um dos pais da Psicologia Infantil chegou a afirmar que ser...

FILHOS ÚNICOS São especificamente filhos de uma única gestação na vida da mãe, mas podem ser resultados também de outras formas de unicidade. Assim, irmãos podem se considerados "Filhos Únicos".

FILHOS ÚNICOS E INTERNET Usam mais a internet em busca de relacionamentos virtuais do que os filhos não únicos.

FLASH-SLEEP É um sono breve que dura de 10 a 15 minutos, ou até menos, e está sob controle, isto é, a pessoa se prepara para dormir e despertar.

GENTIL POUPANÇA Quando os pais poupam o filho do necessário esforço ou sacrifício para seu crescimento.

GERAÇÃO CARONA São adultos jovens, formados, que não trabalham e vivem na casa dos pais como adolescentes.

GERAÇÃO _TWEEN_ São crianças na idade biológica inferior, mas que consomem produtos para adolescentes.

GINÁSTICA CEREBRAL É fazer o cérebro funcionar com exercícios para que os neurônios possam ficar mais competentes e rápidos.

GRAVIDEZ CONCORRE COM CARREIRA PROFISSIONAL Algumas mulheres preferem postergar a gravidez a perder oportunidades profissionais.

GRAVIDEZ MASCULINA É quando o homem se dedica tanto ao filho dentro do útero da esposa grávida, que é como se estivesse grávido também. É um bom sinal, pois já revela ser participativo e com certeza será um pai afetivo.

HIPERSOLICITUDE DOS PAIS OU SUBSTITUTOS Para o Filho Único é prejudicial à formação da sua personalidade.

INFORMAÇÃO EM CONHECIMENTO, TRANSFORMAÇÃO DE UMA Após ensinar uma regra para o filho, pergunte se ele entendeu. Se entendeu, peça a ele que lhe explique com as palavras dele.

INSISTÊNCIA MALANDRA Quando um filho fica insistindo, "bate na mesma tecla", sem agregar nenhum valor ao novo pedido.

INTEGRAÇÃO RELACIONAL Qualidade de relacionamento humano no qual as pessoas buscam a constante e progressiva melhoria relacional, incluindo o melhor de si também para as pessoas à sua volta, para a sociedade e para o planeta. É um nome-conceito para meus estudos de desenvolvimento humano: Teoria Integração Relacional.

IRMÃE Quando a irmã mais velha adota o papel de mãe de um(a) irmão(ã).

LIÇÃO OU DEVERES DO FILHO Pais que fazem deveres pelos filhos estão impedindo o desenvolvimento da prática e atrofiando o que ele já fazia, ou seja, este gesto de amor acaba aleijando o filho.

MÃE OU PAI ÚNICO Quando uma mãe sozinha ou pai sozinho dedica-se a um só filho.

MELATONINA um neuro-hormônio, antioxidante fisiológico que regula o sono.

MERITOCRACIA Quando o filho ganha algo pelo mérito, e não por agrado, ou simplesmente pela vontade dos pais.

NETO ÚNICO Avós já têm a fama de deixar os netos fazerem tudo dentro de casa, e tudo fica ainda mais permissivo com um único neto.

NETWORKING Rede de contatos que as pessoas têm uma com as outras.

"PACIÊNCIA CURTA, VOZ GROSSA E MÃO PESADA" Testosterona em níveis masculinos no cérebro gera impaciência; nas cordas vocais, o timbre grave, e, nos músculos, a força física.

PÃE DA FAMÍLIA É a mãe que quer preencher também as funções de pai, existente ou não.

PAI MALÉVOLO Além de ser mau, é ativo na maldade. Também nada faz para ajudar em casa.

PAI "VEGETAL" É o pai que tem o estilo "vegetal" de vida em casa. Espera ser servido em tudo, não reclama mas também não colabora em nada. Não está doente nem em coma, é o seu "estilo".

PEIXE É PEIXE Uma parábola construtivista que demonstra que os conteúdos não devem ser colocados aleatoriamente para se construir um conhecimento.

PENA E ESMOLA São inimigas da educação porque instigam o filho a se manter pedinte e não empreendedor.

PERDA DA NOÇÃO DE LIMITES Do que devem ou não devem fazer os Filhos Únicos é muito freqüente.

PERFORMANCE É agir e pensar da melhor forma que podemos.

PERFORMANCE DO MAL Quando as pessoas perturbam e/ou prejudicam a sociedade.

PERFORMANCE NEGATIVA Quando as ações de uma pessoa provocam um retrocesso na vida própria ou na dos outros.

PRAZO: CONTAR ATÉ 3 Para conseguir uma obediência imediata dos filhos, antes de aplicar a consequência, um bom método para dar um prazo é contar até três.

QUASE INDEPENDENTE Quando um filho é capaz de já fazer algo, mas não pode porque ainda depende de outros fatores. Sabe, mas não pode dirigir, porque não tem licença de habilitação; quando não pode fazer um programa por não ter dinheiro.

RELACIONAMENTO COM PARES São relacionamentos entre colegas, iguais, horizontais, simétricos e com poderes semelhantes.

RELACIONAMENTO EM CORREDOR É o relacionamento formado entre duas pessoas, uma em cada ponta, quando o movimento de um é percebido pelo outro e vice-versa, mas conseguem ser independentes.

SALVAR Significa registrar na memória do computador um conteúdo para que possa ser acessado em outros momentos.

SAÚDE RELACIONAL É um relacionamento progressivo, em busca constante de melhorias, que seja excelente para todas as pessoas e o seu ecossistema.

SINAPSES DOS NEURÔNIOS São os locais onde um neurônio passa sua mensagem para outro.

SÍNDROME DE ALIENAÇÃO PARENTAL Um pai, ou mãe, que fala ao filho mal do outro com a finalidade de destruí-lo e assim ficar com o filho, de forma inescrupulosa, mentirosa, falsa; portanto, criminosa.

SÍNDROME DE FILHO ÚNICO É o conjunto dos sinais e sofrimentos existentes nas pessoas envolvidas nos relacionamentos mãe-Filho Único, pai-Filho Único, pais-Filho Único e/ou seus substitutos.

SÍNDROME DO NINHO VAZIO Ataca geralmente a mãe, ou o pai, que viveu em função do filho e agora vive pela ausência do filho que cresceu e voou.

SOBRECARGA De cuidados e atenção, de expectativas e exigências, de solidão, de brinquedos, de temores etc. Pode tornar a vida do Filho Único insuportável.

SOLIDÃO Que o Filho Único sente é muito frequente e ela existe porque ele não tem companheiros com quem repartir o tempo que passa em casa.

VÍNCULO SIMBIÓTICO É um relacionamento entre duas pessoas cujas personalidades se misturam, mas não se individualiza ninguém. Uma depende totalmente da outro e vice-versa.

Notas bibliográficas[84]

ANTUNES, Celso. *Novas Maneiras de Ensinar, Novas Formas de Aprender.* Porto Alegre: Artmed, 2002.

BANDEIRA, Manuel. *Bandeira a Vida Inteira.* Rio de Janeiro: Alumbramento, 1986.

BRANSFORD, John D. *Como as Pessoas Aprendem*: cérebro, mente, experiência e escola. São Paulo: Senac São Paulo, 2007.

CAMBRIGDE International Dictionary of English, London: Cambridge University Press, 1996.

COLLER, Ricardo. *O Reino das Mulheres:* O último matriarcado. São Paulo: Planeta do Brasil, 2008.

CORTELLA, Mario Sergio. *Qual é a Tua Obra?* Inquietações propositivas sobre gestão, liderança e ética. Petrópolis. Rio de Janeiro: Vozes, 2007.

ELKAÏM, Mony. *Como Sobreviver à Própria Família.* São Paulo: Integrare, 2008.

ÉPOCA. São Paulo: Globo, p.132. 27/10/08.

ESTIVIL, Eduard e BÉJAR, Sylvia de. *Nana, Nenê*: como resolver o problema da insônia do seu filho. São Paulo: Martins Fontes, 2003.

FONSECA Filho, José de Souza. *O Psicodrama da Loucura*: correlações entre Buber e Moreno. 7. ed. rev. São Paulo: Ágora, 2008.

FONSECA, Priscila M. P. C. da. *Síndrome da Alienação Parental.* Revista Brasileira de Direito da Família, v. 8, n. 40, fev/mar, 2007. Porto Alegre: Síntese.

GEHRINGER, Max. *O Melhor de Max Gehringer na CBN* v. 1. 120 conselhos sobre carreira, currículo, comportamento e liderança. São Paulo: Globo, 2006.

GLADWELL Malcom. *Fora de Série.* Rio de Janeiro: Sextante, 2006.

HERCULANO-HOUZEL, Suzana. *Sexo, Drogas, Rock'n' roll... & Chocolate*: o cérebro e os prazeres da vida cotidiana. Rio de Janeiro: Vieira & Lent, 2003.

_______. *Fique de Bem com Seu Cérebro.* Rio de Janeiro: Sextante, 2007.

_______. *O Cérebro em Transformação.* Rio de Janeiro: Objetiva, 2005.

HOUAISS, Instituto Antonio. *Dicionário Houaiss da Língua Portuguesa.* Rio de Janeiro: Objetiva, 2001.

JULIO, Carlos Alberto. *Reinventando você, a dinâmica dos profissionais e a nova organização.* 9. reimpressão. Rio de Janeiro: Elsevier, 2002.

MAGALHÃES, Dulce. *Manual da Disciplina para indisciplinados.* São Paulo: Saraiva, 2008.

[84] As fontes eletrônicas foram registradas ao longo desta obra.

MALDONADO, Maria Tereza. *O Bom Conflito*: juntos buscaremos a solução. São Paulo: Integrare, 2008.

MARINS, Luiz. *Ninguém é empreendedor sozinho* – O novo Homo Habilis. São Paulo: Saraiva, 2008.

Mente & Cérebro. Setembro, 2008. *De bem com o seu cérebro*. São Paulo: Ediouro, Segmento/Duetto Editorial [188: 44].

MONTGOMERY, Malcolm. *A mulher e seus hormônios...* Enfim em paz – São Paulo: Integrare, 2006.

_______. *...E Nossos Filhos Cantam As Mesmas Canções*. São Paulo: Integrare, 2008.

MUSSAK, Eugenio. *Caminhos da Mudança*. São Paulo: Integrare, 2008.

NAVARRO, Leila e GASALLA, José Maria. *Confiança*: a chave para o sucesso pessoal e empresarial. São Paulo: Integrare, 2007.

OSORIO, Luis Carlos e PASCUAL DO VALLE, M. Elizabeth e cols. *Manual de Terapia Familiar*. Porto Alegre: Artmed, 2009.

PROCTER, Paulo. *International Dictionary of English*, London: Cambridge University Press, 1996.

RIBEIRO, Nuno Cobra. *Sementes da Vitória*. 91. ed. São Paulo: Saraiva, SP, 2008.

RODRIGUES, Arakcy Martins. *Indivíduo, Grupo e Sociedade*: Estudos de psicologia Social. São Paulo: Edusp, 2005.

SERVAN-SCHREIBER, David. *Anticâncer*: Prevenir e vencer usando nossas defesas naturais. Trad. Rejane Janowitzer. Rio de Janeiro: Objetiva, 2008.

SOUZA, César. *Você é o líder da sua vida*. Rio de Janeiro: Sextante, 2007.

_____. *Você é do tamanho dos seus sonhos*. Um passo a passo para fazer acontecer e ter sucesso no trabalho e na sua vida pessoal. Rio de Janeiro: Agir, 2009.

SPITZ, René Arpad. *O primeiro ano de vida*. 3. ed. São Paulo: Martins Fontes, 2004.

TIBA, Içami. *Adolescentes*: Quem Ama, Educa! São Paulo: Integrare, 2005.

_____. *Amor, Felicidade & Cia.*: coletânea de textos. São Paulo: Gente, 1998.

_____. *Disciplina*: Limite na Medida Certa – Novos Paradigmas. São Paulo: Integrare, 2006.

_____. *Educação & Amor*. São Paulo: Integrare, 2006.

_____. *Ensinar Aprendendo*: Novos Paradigmas na Educação. São Paulo: Integrare, 2006.

_____. *Juventude & Drogas*: Anjos Caídos. São Paulo: Integrare, 2007.

_____. *Quem Ama, Educa! Formando Cidadãos Éticos*. São Paulo: Integrare , 2007.

VIANNA, Marco Aurélio F. *Líder Diamante*: o sétimo sentido: a essência dos pensamentos de grandes líderes brasileiros. São Paulo: Saraiva, 2008.

WHITE, Carolyn. *Criando Filho Único*. São Paulo: M Books, 2008.

WONG, Robert. *O sucesso está no equilíbrio*. Rio de Janeiro: Elseirer, 2006.

Filmografia

A GUERRA DOS ROSES (*The War of the Roses*): EUA, 1989. Diretor: Danny de Vitto. Com Michael Douglas e a Kathleen Turner.

A NOVIÇA REBELDE (*The Sound of Music*): EUA, 1965. Diretor: Robert Wise. Com Julie Andrews e Christopher Plummer.

CIDADÃO KANE (*Citizen Kane*): EUA, 1941. Diretor, produtor e ator principal: Orson Welles.

KRAMER VERSUS KRAMER (*Kramer vs. Kramer*): EUA,1979. Direção: Robert Benton. Com Dustin Hoffman, Meryl Streep e Justin Henry.

RAN (*Ran*): França/Japão, 1985. Direção: Akira Kurosawa. Com Tatsuya Nakadai.

SANGUE SOBRE A NEVE (*The Savage Innocents*): França/Itália/Inglaterra, 1960. Direção: Nicholas Ray. Com Anthony Quinn e Peter O'Toole.

TROIA (*Troy*): EUA, 2004. Direção: Wolfgang Petersen. Com Brad Pitt, Diane Kruger, Orlando Bloom.

Sobre Içami Tiba

Filiação	Yuki Tiba e Kikue Tiba
Nascimento	15 de março de 1941, em Tapiraí/SP
1968	Formação: médico pela Faculdade de Medicina da Universidade de São Paulo – FMUSP.
1970	Especialização: Psiquiatra pelo Hospital das Clínicas da FMUSP.
1970-2009	Psicoterapeuta de adolescentes e consultor familiar em clínica particular.
1971-77	Psiquiatra-assistente do Departamento de Psiquiatria Infantil do Hospital das Clínicas da FMUSP.
1975	Especialização em Psicodrama pela Sociedade de Psicodrama de São Paulo.
1977	Graduação: professor-supervisor de Psicodrama de Adolescentes pela Federação Brasileira de Psicodrama.
1977-78	Presidente da Federação Brasileria de Psicodrama.
1977 a 1992	Professor de Psicodrama de Adolescentes no Instituto *Sedes Sapientiae,* em São Paulo.
1978	Presidente do I Congresso Brasileiro de Psicodrama.
1987-89	Colunista da TV Record no Programa *A mulher dá o recado.*
1989-90	Colunista da TV Bandeirantes no Programa *Dia a dia.*
1995 a 2009	Membro da Equipe Técnica da Associação Parceria Contra As Drogas – APCD.
1997 a 2006	Membro eleito do *Board of Directors of International Association of Group Psychotherapy.*

2000 Apresentador do programa semanal *Caminhos da Educação*, na Rede Vida de Televisão.

2001-02 Radialista, com o programa semanal *Papo Aberto com Tiba*, na Rádio FM Mundial.

2003-09 Conselheiro do Instituto Nacional de Capacitação e Educação para o Trabalho "Via de Acesso".

2005-09 Apresentador e Psiquiatra do programa semanal *Quem Ama, Educa*, na Rede Vida de Televisão.

- Professor de diversos cursos e workshops no Brasil e no exterior.
- Frequentes participações em programas de televisão e rádio.
- Inúmeras entrevistas e imprensa escrita e falada, leiga e especializada.
- Patrono da Livraria Siciliano do Shopping Pátio Brasil (Brasília).
- Mais de 3.300 palestras proferidas para empresas nacionais e multinacionais, escolas, associações, condomínios, instituições etc., no Brasil e no exterior.
- Criou a *Teoria Integração Relacional*, na qual se baseiam suas consultas, workshops, palestras, livros e vídeos.
- Tem 26 livros publicados. Ao todo, seus livros já venderam mais de 2.300.000 exemplares.

LIVROS PUBLICADOS

1. *Sexo e Adolescência*. 10 ed. São Paulo: Ática, 1985.
2. *Puberdade e Adolescência*. 6 ed. São Paulo: Ágora, 1986.
3. *Saiba mais sobre Maconha e Jovens*. 6 ed. São Paulo: Ágora, 1989.
4. *123 Respostas sobre Drogas*. 3 ed. São Paulo: Scipione, 1994.
5. *Adolescência:* o despertar do sexo. 18 ed. São Paulo: Gente, 1994.
6. *Seja feliz, meu filho!* 21 ed. São Paulo: Gente, 1995.

7. *Abaixo a Irritação:* como desarmar esta bomba-relógio do relacionamento familiar. 20 ed. São Paulo: Gente, 1995.
8. *Disciplina:* Limite na Medida Certa. 72 ed. São Paulo: Gente, 1996.
9. *O(a) executivo(a) & Sua Família*: o sucesso dos pais não garante a felicidade dos filhos. 8 ed São Paulo: Gente, 1998.
10. *Amor, Felicidade & Cia.* 7 ed. São Paulo: Gente, 1998.
11. *Ensinar Aprendendo:* como superar os desafios do Relacionamento Professor-aluno em tempos de Globalização. 24 ed. São Paulo: Gente, 1998.
12. *Anjos Caídos*: como prevenir e eliminar as drogas na vida do adolescente. 31 ed. São Paulo: Gente, 1999.
13. *Obrigado, Minha Esposa.* 2 ed. São Paulo: Gente, 2001.
14. *Quem Ama, Educa!* 161 ed. São Paulo: Gente, 2002.
15. *Homem Cobra, Mulher Polvo.* 29 ed. São Paulo: Gente, 2004.
16. *Adolescentes*: Quem Ama, Educa! 38 ed. São Paulo: Integrare, 2005.
17. *Disciplina:* limite na medida certa. Novos paradigmas na nova educação. 82 ed. São Paulo: Integrare, 2006.
18. *Ensinar Aprendendo.* Novos paradigmas na educação. 28 ed. São Paulo: Integrare, 2006.
19. *Seja Feliz, Meu Filho.* Edição Ampliada e atualizada. 27 ed. São Paulo: Integrare, 2006.
20. *Educação & Amor.* Coletânea de textos de Içami Tiba. 2 ed. São Paulo: Integrare, 2006.
21. *Juventude e Drogas:* Anjos Caídos. 9 ed. São Paulo: Integrare, 2007.
22. *Quem Ama, Educa!* Formando cidadãos éticos. 19 ed. São Paulo: Integrare, 2007.
23. Conversas com Içami Tiba – Volume 1. São Paulo: Integrare, 2008 (*Pocketbook*).
24. Conversas com Içami Tiba – Volume 2. São Paulo: Integrare, 2008 (*Pocketbook*).

25. Conversas com Içami Tiba – Volume 3. São Paulo: Integrare, 2008 (*Pocketbook*).

26. Conversas com Içami Tiba – Volume 4. São Paulo: Integrare, 2009 (*Pocketbook*).

- Tem 4 livros adotados pelo Promed do FNDE (Fundo Nacional e Escolar de Desenvolvimento), Governo do Estado de S. Paulo – Programa de Melhoria e Expansão do Ensino Médio.
  - *Quem Ama, Educa!*;
  - *Disciplina:* Limite na Medida certa;
  - *Seja Feliz, Meu Filho*;
  - *Ensinar Aprendendo:* como superar os desafios do Relacionamento Professor-aluno em tempos de Globalização.
- O livro *Quem Ama, Educa!*, com mais de 560.000 exemplares vendidos, foi best-seller de 2003 segundo a revista *Veja*. Também é editado em Portugal pela (editora Pergaminho), Espanha, (Editora Obelisco) e na Itália (Editora Itália Nuova).
- em doze vídeos educativos produzidos em 2001 em parceria com a Loyola Multimídia, cujas vendas atingem mais de 13.000 cópias. 1. Adolescência. 2. Sexualidade na Adolescência. 3. Drogas. 4. Amizade. 5. Violência. 6. Educação na Infância. 7. Relação Pais e Filhos. 8. Disciplina e Educação. 9. Ensinar e Aprender. 10. Rebeldia e Onipotência Juvenil. 11. Escolha Profissional e Capacitação para a Vida. 12. Integração e Alfabetização Relacional.
- Em pesquisa feita em março de 2004 pelo Ibope, a pedido do Conselho Federal de Psicologia, Içami Tiba foi o 3º profissional mais admirado e tido como referência pelos psicólogos brasileiros, sendo Sigmund Freud o primeiro e Gustav Jung o segundo. A seguir, vêm Rogers, M. Klein, Winnicot e outros. (Publicada pelo *Psi* Jornal de Psicologia, CRP SP, número 141, jul./set. 2004).

Contatos com o autor
IÇAMI TIBA
TEL./FAX (11) 3815-3059 e 3815-4460
SITE www.tiba.com.br
E-MAIL icami@tiba.com.br